劉福春・李怡 主編

民國文學珍稀文獻集成

第四輯

新詩舊集影印叢編　第154冊

【楊騷卷】

迷雛

上海：北新書局 1928 年 6 月初版

楊騷 著

受難者的短曲

上海：開明書店 1928 年 11 月初版

楊騷 著

花木蘭文化事業有限公司

國家圖書館出版品預行編目資料

迷雛／受難者的短曲　楊騷　著 -- 初版 -- 新北市：花木蘭文化事業有限公司，2023〔民112〕

96面／136面；19×26公分

（民國文學珍稀文獻集成・第四輯・新詩舊集影印叢編　第154冊）

ISBN 978-626-344-144-6（全套：精裝）

831.8　　111021633

ISBN-978-626-344-144-6

民國文學珍稀文獻集成・第四輯・新詩舊集影印叢編（121-160冊）
第154冊

迷雛
受難者的短曲

著　　者　楊　騷
主　　編　劉福春、李怡
企　　劃　四川大學中國詩歌研究院
　　　　　四川大學大文學學派
總 編 輯　杜潔祥
副總編輯　楊嘉樂
編輯主任　許郁翎
編　　輯　張雅淋、潘玟靜　美術編輯　陳逸婷
出　　版　花木蘭文化事業有限公司
發 行 人　高小娟
聯絡地址　235 新北市中和區中安街七二號十三樓
　　　　　電話：02-2923-1455／傳真：02-2923-1452
網　　址　http://www.huamulan.tw 信箱 service@huamulans.com
印　　刷　普羅文化出版廣告事業
初　　版　2023年3月
定　　價　第四輯121-160冊（精裝）新台幣100,000元　

迷雛

楊騷 著

楊騷（1900～1957），原名楊古錫，生於福建漳州。

北新書局（上海）一九二八年六月初版。原書三十二開。

迷　雛
楊騷作

迷　　雛

楊　騷

人　物

女性

鶯能

婉濤

麗姝

男性

柳傾

鍾頊

碧蕭

子華

仿山

行人及其他

時　候

1923年晚秋的一個月明之夜。

第 一 幕

白堤上公園之前，滿月初昇的時候。

舞台前面馬路。右邊路傍數株柳樹連着，從裏邊的路燈放出光線來，柳枝柳葉在黃綠光裏搖曳着；左邊路旁露出公園的屋角，從裏面也有光線射出，馬路上全體的光線左右稍強中央弱，但很明瞭。行人稀少，時有一兩個從右或左來來去去。

舞台後面正中暗紅色的，一個木坊高豎着，數級石堦連馬路；坊後石堤，可以行人，小舶子上下也從此處。有隻小舶兒斜放堤下，寂寞地待客人光顧似的，但不見划船的人。木坊處的光線要比馬路弱得多，在木坊身上看得出月色掩映着。

遠景：左邊杭市的燈光點點，放出一種微茫的弱光，想冲

〔 1 〕

破開淡的夜色之壓迫似的，滿月帶點黃昧低掛空中，星點點。右邊樹中央遠山渺茫連絡着，湖光閃閃。從木坊的空隙望去，糊模可以看得出湖心亭，阮公墩及三潭印月的三個黑影。

幕開時柳倜斜依木坊望月。身披黑 Mantle。手執竹根在石堤上慢慢敲着作響，長髮。

學生模樣的行人兩個從馬路的右邊上。

行人甲

人生眞愉快，如何？你看剛才西泠橋上那兩個男女……

行人乙

唉啊，一幅好對照，一個好刺激。想想那忙着冬衣服，苦着明日飯的人呀！

行人甲

然而戀愛……

行人乙

夠了，夠了，你想現在的中國有什麼戀愛麼？那簡直是一種惡性的流行病！

行人由

〔 2 〕

然而戀愛……

行人乙

你的戀愛論好把牠結個尾巴罷。(稍亢奮)

什麼人生觀，什麼人死觀，總然是"黑漆一團"啦！向這黑漆一團中勇往直進罷！革命，革命，只有革命呀！

行人甲(冷笑地)

你的革命，充其量也是個流行罷了。(注意到柳侗，聲氣壓細一點。)哦呀，藝術家，畫家！(柳侗運不注意到行人的會話似的，儘管慢慢地敲他的竹根，看他的月亮。)

行人甲(細細的對乙)

好一個 Scene！喂！詩的喲！

行人乙(向柳侗一瞥，輕蔑的口吻。)你近來的藝術狂，戀愛熱和你外國語一樣地堪唾棄的呀：

行人甲

然而美……

行人乙

算了罷，算了罷！什麼美！什麼詩：什麼藝術！什麼戀愛！那都是一種閑散，一種懶怠！哦呀，那邊

〔 3 〕

又來了！男子三匹，女子兩條。……

行人甲

兩個女子，兩個新女子！哦，Stylish！

行人乙

去罷，我們幹我們的去罷；這些懶死了的猪，咄！（左邊下）

行人甲

哦，哦……（蹣跚 左邊下。停 刻碧蕪，子華，仿山，婉濤，麗姝等從馬路右邊上。。）

碧蕪

那不是侗麼？喂，侗，侗！

婉濤

眞的侗呢！

碧蕪

侗！喂，侗！

柳侗（醒着反身）

哦呀，碧蕪麼；碧蕪！（從木坊裏跳下馬路）你們想到什麼地方玩？你們都從什麼地方來的？

婉濤

你不聽見人家說麼，從來處來？（笑着）

麗姝

我們到你那邊找你不着。

柳侗

我用過晚飯就出來了。

子華

他近來很忙。（望麗姝）

婉濤

侗近來越發瘋了似的，總是獨自東跑西走，再不招呼人家了！

碧蕪

瘋到不見得甚瘋，好像在做什麼美夢。

柳侗（笑着對蕪）

什麼都好，只要有眼前的西湖，管牠是個瘋麼夢。你們想到什麼地方玩呢？

碧蕪

還跑得出這熟識的湖山麼？想僱着小船游湖。哦，月亮越發高起來了！

柳侗（四顧堤下）

喂，老嬸嬸，你的顧客來了。（老嬸嬸的影子從船中站起來，說聲謝謝你，先生。）

侗（轉向碧蕪）

我替你們介紹這個好麼？

碧蕪

再好沒有了。你不同我們玩玩去麼？

柳侗（躑躅着）

我想在湖邊走走……

子華（冷嘲地）

同我們玩玩去罷，湖邊有什麼人等你麼？

柳侗

我怕湖中要冷些……

仿山

同玩去罷，我外套給你穿。

麗姝

他總喜歡孤獨的。

婉濤

他另有他的不可思議，神祕。

柳侗

我總怕湖中要冷些……

碧蕪

什麼都好，倜。但湖中的風冷，吹不下滾滾血流的心熱罷。盡情地在湖邊唱你的歌！（向其餘的人）我們快點坐船去來。（倜處笛聲還揚）

仿山

那麼我們自坐去罷……喂，船靠近一些來。

麗姝

你還是來罷……

子華

我們自玩我們的去算了喲！

婉濤

你眞的不來？

柳倜

你們這些人眞會麻煩；快下船去好了，看老嫞在那邊等呢（大家笑着走近石堤，先後下船，各爭拿船槳划船。）

麗姝

喂！不要碰着我！

子華

女子眞的會叫！

碧蕪

倜，倜……哦；叫月光灑得像幽靈般地！再會，倜。

衆人

再會，再會，再會。（遊船撑開）

柳倜

再會，再會……（唐突地）喂，碧蕪！你的妹子呢？鷺妹呢？

碧蕪（邊划船邊說）

怕不是也在這神祕的湖邊？她好像和鍾琪同出來的，我不甚清楚。（船慢慢地向湖心駛去，到朦朧看不淸楚時，遠遠聽得碧蕪唱着歌，The last rose of summer 的歌。）

柳倜

好個美男子：我常要瞧着他美的鼻子傷心……咿啊 他妹子的眼睛更美些……（高聲亂唱）啦，啦，啦，啦……實在是個美青年！我在青年會一眼

〔 8 〕

看愛了他，以後就像變態地戀慕了他了，眞是好美。但夢也夢不到他帶着那樣可愛的妹子在身邊，好像柳浪生着紅蓮，相映着誘人跳下水裏尋香……（高聲亂唱'啦，拉，啦……啊！多少醉人！多少傷情！（向左右顧盼着踟躕一下，然後尖細着聲高唱着向'邊下，）How can I l ave th e……（歌聲漸漸地聽不見，稍停，鶯能和鍾琪從'邊上。）

鶯能

但是，哦……

鍾琪

但是什麼？

鶯能

但是他是個詩人呢！

鍾琪

是，詩人！他想在夢中討生活！他好像癡心的小孩子，想向縹緲無心的女神求乞情熱，愛，同情之花。

鶯能

女神那樣無心縹渺着麼？

〔 9 〕

鍾琪

那何待說，鶯妹。女神將永不離她的玉座，將不睬人間一切的祈求戀慕！

鶯能

你歡喜這樣冷心的女神麼？

鍾琪

冷心？我要說是崇拜神聖！我崇拜這樣純潔的女神！

鶯能

可是這樣死灰的女神叫我做我都不想要呢。

鍾琪

唔……

鶯能

唔？什麼？可不是麼，鍾琪？女神飛靈活活地飛不可，女神非情熱熱地愛不可，女神非受一切人的仰慕不可；並且女神喜歡聽一切的戀歌，喜歡聽粉蝶翩躚的翅膀，喜歡聽漪漣合奏的音波……

鍾琪

"女神喲！給我你的心！"假如有人這樣祈求，

女神答應他麼?

鶯能

假使祈求的心誠而美，是我女神，我將給他的。

鍾琪

“女神喲，給我你的心!”假使又有人這麼懇願，女神將如何?

鶯能

假使懇願的心誠而美，是我女神，我將給他的。

鍾琪

但女神只有一個心呢!

鶯能

女神沒有那麼狹小!女神有無限的心，情。她將永丢了愛慾的獻禮，永不顧冒瀆之淚，她是永遠的處女…… 哦，鍾琪，我們怎麼就說到這裏來了?

鍾琪

因爲我說他像個癡心的小兒，向無心的女神求愛，花……

鶯能

是，是，又因爲我說他是個詩人……但你有那種確信麼，女神是無心縹渺着的？

鍾琪

我有這樣的確信！並且我自慢我心目中的女神有這樣神聖，好像今晚的月亮那樣皎潔：（鶯能默然若有所思，仰望明月，靜悄悄一時。）

鍾琪

鶯妹，你怎麼不說了？

鶯能

……………………………

鍾琪

鶯妹，鶯妹，你在想什麼？你記得我們最初的會餐？

鶯能

記得呢，不是在……你現在問這些做什麼？看啦，好晶瑩的月亮！

鍾琪

我時時刻刻都記着的。（稍停）是一年前的事了，可不是麼，鶯妹？一年前我因或機會得和一位很可愛很可愛的妹子認識了，我們最初在三越的食堂會餐，她很可憐我似的，很同情我似的，由是我的熱魂就輕輕地被她取去了，我感激她，熱愛她，暗地裏呼她天使，女神。鶯妹，她是誰你大概曉得罷。那時我照得她一張相片，要刻刻藏在我身上最熱的一部份。啊！從認識了她到如今，是我青春開花的時期，是我跑到樂園遊玩的刹那！

鶯能（感動着）

哦！

鍾琪

可不是麼，自認識了她以後，我想我們的愛是與時日同增的，我們的前途有無限的希望，有無限的幸福，無限的快樂……我這樣想，很得意地這樣想，想……（望鶯能出神。湖中何處的笛聲發，忽向中止，）但是，但是，聽啦，鶯妹，我這種的幸福的想像，就好像那幽揚的清笛，在最近的一瞬間，被什麼風或浪的聲音阻斷了，遮亂似的，鶯妹，可不是麼？

鶯能

〔 13 〕

爲什麼呢？那是鍾琪自己的疑心罷……（笛聲又沓）聽啦，不是淸笛更揚抑得可愛了？有什麼風？浪？（笛聲又止）

鍾琪

什麼都聽不見的，什麼都聽不見的，但有什麼關係，那有什麼關係。我早就知道除我以外，還有許多人愛着她，但我總不把他們放在心上，起初；因爲我自信她始終愛我的，我相信她不會愛別人的，但是，但是，鶯妹，我漸漸地覺得了，我的幸福好像受摧殘起來了，我恍惚看見幸福的背面是悲哀的了！可不是麼，海中起了風波似的，我和她共濟之舟怕要被風浪打翻海底去了！我不能趕快地一口氣將船撑到平安的彼岸，我又不能祈求上帝把無情的風波打滅。啊！鶯妹，我怕，我怕：

鶯能

那是鍾琪自己的心虛罷……

鍾琪

你能夠說這是我無端的憶測麼？你能夠保證我

鶯能

哦！（迷惑似地走向木坊處）

鍾琪（緊隨鶯能）

鶯妹，鶯妹！（想握鶯手，剛是時，倜的歌聲在遙遠處斷續唱，忽隱忽現。

鶯能（駐足傾聽）

好像在雲中唱着似的，那是倜哥的歌聲呢！

鍾琪（傾聽樣子）

幾十年前的流行歌了！這麼他常要唱這個！

鶯能

舊的歌找得出新的情熱。

（微微的歌聲，Its' long long way to……）

鍾琪

眞是一條長的路，一條長的航路呢！生風作浪的險惡的……

鶯能（一心傾聽着）

眞是好聽（望月）月姐兒都聽得飛起來了，鍾琪你看，月姐兒不是在雲中走着麼？

鍾琪

【 15 】

那裏，雲飛不是我走呢。那點薄雲飛開了，平和的月亮會望我們笑罷！

鴛能

啊，不唱了呢！他在那邊看月亮，還是蹲在水邊作湖光的幻想？

鍾琪

在那邊想死了紅葉罷……

鴛能

好美的詩句喲！鍾琪你怎不唱呢？

鍾琪

我唱不出，我沒有那種高腔；我怕唱破喉嚨。

鴛能

歌，有高腔也不是隨便唱得，要有那種情熱。

鍾琪

唔……

鴛能（望望鍾琪的氣色）

我們找他玩去罷，他不知這邊來還是那邊去？或許哥哥他們也同在呢。

鍾琪

這邊那邊不是一樣地，反正是一條長的路。

鶯能

我們找他談談去罷，他不是很可愛麼，一個無邪氣的小孩子？

鍾琪

他是個可愛的詩人，但小孩子未必罷！假如他是個小孩子，你便是個還在母懷裏喫奶奶的紅嬰兒。

鶯能（嬌笑着）

鍾琪眞會說笑呢！那麼他是個熱情的青年了，（愛嬌地，誘惑的。）我們看他去罷，喲！

鍾琪

我不去的，路不好走呀。

鶯能

我們一路去罷，我們攙着同走罷，喲！

鍾琪

咿啊，一條的路，我怕走的。

鶯能

你眞不同我去，鍾琪？（望望他的氣色，好像在窘窘

〔 17 〕

什麼似的。）那麼，你就在這邊等，我喚他來，我追他去來。（向左邊走下）

鍾琪（着急着）

不要跌落湖中……哼！可愛的詩人！（走上木坊，在石堤眺望，俄而搖船的水聲漸近。）那個野郎的遊船……（張望）我呀！碧蕪他們麼？好個氣閑的哥哥！一個妹子要任她飛跑，在這人稀氣冷的湖邊，咄！（走下馬路，望鶯能去處踟躕着欲往不進的樣子。有頃，船近岸，碧蕪先起岸，呼喚，餘人　船中說說笑笑，不起船。

碧蕪

喂　個，喂！你還在這裏迷惑麼？

鍾琪

我呢！

碧蕪

哦呀！鍾琪麼？你怎麼獨自一個？我的妹子呢？

鍾琪

你怎麼會問起你的妹子來了？怕在那邊唱歌罷。在雲中唱着……

碧蕪

和哈！你今晚怎麼會說這樣夢幻的話來？（望望鍾琪氣色）怎麼了？你的氣色不大對呀！是我妹子欺負了你？她到底在什麼地方？

鍾琪

好哥哥，不必怕她失掉了，保護着他的人多着呢！

碧蕪

哦呀，哦呀，這才有趣味！但現在的護衛兵很靠不住，你就是個榜樣呀。你怎麼放她獨自一個在那邊唱歌呢？並且說在雲中唱着？

鍾琪

她找倆去的…　你們遊湖。怎麼這樣早就回來？

碧蕪

想買點酒湖中喫去…… 倆在那裏？

鍾琪

不是對你說了，他在雲中唱着歌，引妹子找他去的。他們在斷橋那方。

碧蕪（回顧船中）

喂！誰同我買酒去呢？（船中笑聲）

〔 19 〕

碧蕪(對鍾琪)

眞是一些猪!只會笑,噢……鍾琪,你同我買去罷,我們今晚要盡量地喝一喝。啊!我得着什麼靈感似的,我們須醉死在湖光裏頭喲,鍾琪,買酒去罷!

鍾琪

你也是可愛的詩人!但我不能同你去。

碧蕪

怎麼?你這樣沒有興致麼?你看這神秘的湖光,你看那遠山的迷濛,你又看那誘惑我們的月娘!獰笑着歪着心的高椅子我們坐不得,辦公室中打瞌睡的長棹子我們也沒有手段霸佔一座位;但叫人不爭氣的西湖,該許我們玩玩罷;叫人癡呆醉懶的酒,該讓我們喝一口罷!鍾琪,去啦,我們痛痛快快地飲一回罷。猶其是你現在酒上有酒!

鍾琪

好哥哥!你妹子叫我這兒等,並且我近來看酒生厭。

碧蕪

〔 20 〕

你還怕牠到這裏受寒麼?保護她的人多着呢。去罷，你又何必這樣拘泥？要曉得守信算也是罪惡,我們要多多地刺動人家的神經,重重地驚擾人家的懶安和平，那就算我們現在做人的責任完了的。最好是要使人家絕望，失望!你曉得失望絕望有無限的意趣?去罷，鍾琪!

鍾琪(帶氣了踟蹰着)

我不能同你去,第一我脚也酸…　(船中嘈雜的說笑聲)

碧蕪(敗興地回顧船中)

喂!想酒吃的同我買去!

子華(慢慢地起船上岸,笑着對碧蕪)

你不是在發議論麼?(轉向鍾琪)鍾琪兄今晚湖邊好玩麼?

鍾琪

冷一點……

碧蕪

喂!再一個人來!還要拿許多東西呢!

仿山

〔 21 〕

我來！我來！(起岸)

麗姝的聲

你們買什麼酒？

碧蕪

不是白蘭地便是威士忌；或者赤色的玖瑰露。

子華

那樣強的酒誰喝？

碧蕪

我喫呢！

仿山

花雕酒不好麼？

碧蕪

這清冷瀟湘的西湖，再配上淡泊的花雕酒，那不是太可憐了？我們要強烈烈地。

子華

但誰喫那樣強的火燒酒！？

碧蕪

我喫呢！等下倘又來了……

麗姝的聲

〔 22 〕

你們要買只燒鴨來喲！

碧蕪

是，是，什麼都要燒的！

麗姝的聲

松花蛋不要忘記。

婉濤的聲

還有水果……

子華（不高興地）

知道了，知道了！

仿山

我們去罷，不要担擱時間。

碧蕪

還怕担擱時間麼？叫這清閑的月娘聽了奇異，叫這懶怠的西湖聽了笑死 但是去罷。鍾琪，你就在這兒等，今晚怕要醉哭一兩個人。

鍾琪

我決不會的。

子華

鍾琪兄向來小心。

碧蕪

眞的你未嘗醉過，你好像無那種血啦。但對你說，今晚不許你阻誰的酒。要曉得酒杯中才找得一點生意，又生得一點眞的口水唾沫。

鍾琪

咿啊！酒生事！

碧蕪

酒生情。

鍾琪

瘋的情？狂的情？哭的情？挑動的情！

碧蕪

咿啊，眞的情，熱的情，美的情，無限的情；（還還們與鷥合唱的歌聲）

碧蕪

哦！他們來了，他們來了，我們快買酒去罷；回來須多僱一隻小船兒。

鍾琪

碧蕪你要買許多酒？

碧蕪

〔 24 〕

不必担心呀！盡在衣袋中鄙吝着的錢，也醉不得西湖臉紅呢……

鍾琪

我跟你去來。

碧蕪

你脚不酸痛麼？並且妹子叫你在這邊等呢，（碧蕪他們剛要退場，船中尖脆的笑聲，遠處的歌聲漸近，鍾琪不安狀）

碧蕪

眞是在雲中唱着似的，

仿山

我們快去罷。不要担擱了時間。

碧蕪

你這樣寶貴的時間，怎不叫牠駕着飛機飛，倒在這沒有打算的西湖鈍馬似的拖過了一兩個月呢？（傾聽着，歌聲越近。）

鍾琪

好個陳舊的流行歌！

碧蕪

眞是個古舊的歌兒;但好神祕的聲喲!在深海裏的水晶宮唱着似的……

(歌聲幽揚地終止)

碧蕪

眞有五彩色的聲音,但可惜太短了些。(對仿山)喂,我們去罷,要多買一點酒。(對子華)

你怎麼這樣鬱悶着?格外買一瓶淺薄的花雕酒把你罷。快點同來……鍾琪,啊,他們來了,就叫他們在這兒等等,我們船載着酒卽刻就來。(向船中呼喚)

喂!你們高貴的女士,請上來伴伴鍾琪說話呀!(轉向鍾琪)鍾琪,你到船中坐坐麼?

(碧蕪他們從右邊下。船中麗姝、婉濤站起,從水面露出上半身來)

鍾琪(不安狀,想跟碧蕪他們下,躊躇。)

好個哥哥!

(啊,鶯能歌聲又發,更聽得明嘹些。)

婉濤

啊啦!你不要跌下湖中.

麗姝

眞是險些兒跌下去了 ， 我一心聽徊他們唱着……

鍾琪(焦灼狀)

貴女士們好好地跳呀……哦!好個動亂的夜!好個清澈的歌聲!在雲中唱着似的,在深海底的水晶宮唱着似的……那裏，那裏 。在湖面上迴轉似的,在樹梢頭繞着似的,很明瞭很明瞭的了，什麼都很明瞭明瞭的了!(不定的踱過來踱過去。婉濤,麗姝上岸,慢慢走近鍾琪，望着他出神，想對他說什麼似的,但沒有話說。這時划船的人從船中跕起,跳上岸,在石堤處踟躕片刻,說：“小姐在這邊等麼?”婉濤醒着似的。)

婉濤

哈,在這邊等喲……

(假,霧氣高笑聲,幕。)

——第一幕了——

[27]

第二幕

與第一幕同一夜。

三潭印月。

舞台左邊堤岸，遊船上落處，幾級塔段露着。岸上向後一燈桿，一點黃燈在上；岸上向前一條石欖，

舞台右邊前雜木林，後×亭的側面，再後又是雜木林。通雜木林及亭間各有石造的小徑，徑之傍許多看不清楚糢糊的花草。

左邊遠景，迷濛的山脈，糢糊的留翠塔影，閃閃的湖光，湖中一小石塔浮在水面。

右邊遠景被雜木林遮住。

舞台中央後部是雜木休與堤岸連着處。

夜深，月色寒娟。

幕開時，靜寂片刻，俄而搖船聲。

子華的聲

喂，輕划一點，不要碰着石堦。

仿山的聲

着了，着了，到了！掌上幾個水珠泡是我今晚的報酬。（船首靠着堦段，子華先跳起來。）

子華

喂，放他自在去罷！（走近燈桿）

仿山的聲

不危險麼？

子華

什麼危險？總比剛才跳船安全些。

麗姝的聲

叫他靜靜地睡一睡也好，他今晚眞的唱夠喝夠了。

子華（走向船泊處）

貴女士你們快起來罷。注意他醒起來發酒瘋!

(麗姝牽着子華手起船,婉濤隨後。)

子華(一面牽着麗姝,一面對婉濤。)

等一等,等一等,我來扶你……

婉濤

我不怕跌的。(敏活地跳起來,對麗姝。)

怎麼你要人家扶起來了,眞是笑死人!

麗珠(拂下子華手)

酒喫得太多喲!在這裏我還站不定呢。

婉濤

啊!今晚眞有趣!(走到燈光之下)這個燈光禁不起冷氣在戰慄着似的,(走回,望船中。)仿山,怎樣了,不醒麼?

仿山的聲

不醒……

麗珠

要是個哥剛才跌下水中了,那才有趣呢!眞是個瘋子。

婉濤

〔 31 〕

他眞的像個聰明的白癡，那樣不顧頭臉地要跳過船來。

子華

跌下湖中淹死了才是風景呢！（望船中）

喂！你還不自起來麼？冷刀放在他頸上他都會不知道呢；眞是可憐地又可笑！

麗姝

眞的他喫了不少的酒。那邊已經半醉了，過來我們船上，又東倒西歪地喝，喊，唱。

子華

總之碧蕪這個好哥哥！他總苦死了妹子，醉死了柳倜，氣死了鍾琪，笑死了自己。

婉濤

你不看見碧蕪流淚？他望着倜的頭髮流淚呢，當倜俯伏船舷時。他何嘗這樣想，你這……

仿山（從船首跳起來，接着說。）

眞的，我也看見了；但不知爲什麼又要笑着。他還滴滴眼淚，還笑着露出他那美死了的牙齒：

子華

碧蕪也有眼淚流麼?那有點可疑!假如有，爲什麼不對着他可憐的妹子流，却對什麼倜的頭髮?倜的頭上莫不是有了墳墓，美人的墳墓?或倜的頭髮中埋葬着死鸚鵡?或者散散的落花……哈哈哈!他們這般詩人，眞是笑不得我肚子破?又要什麼邊笑着邊滴滴地……

婉濤

這正是碧蕪可愛的地方。他有好銳敏的感覺，有好優美的感情，有好不可思議的心!你又不看見，你那裏曉得?你在船中就只會和麗妹玩皮!

麗妹

婉姐，不要說到我身上來喲!

仿山

在我看，碧蕪和柳倜簡直是倆情人。

子華

那也說不定;但他們同樣的頹廢，猶其是碧蕪是個無神經的，他總想把個妹子當……

婉濤(憤慨着)

當?當什麼?你不要這麼說碧蕪，特於在我的

〔 33 〕

面前！

麗妹(指着子華)

眞是不懂事體！

子華

啊！對不住，對不住！(對彷山)怎麼樣了，那個醉泥鰍？咿啊，可愛的醉詩人，醉仙！怎麼樣了？

彷山

簡直醉死了似的！搖他不行，推他不行，翻他也不醒。

子華

憑他去罷，隨他做個詩人夢罷。或者我們要有第二個的李太白捉月，那才有趣呢！我們到裏面玩玩就好了，終不成在這兒替他擔憂一夜。

彷山

不會凍壞麼，他，這樣冷的深夜？

婉濤

眞的要凍壞呢；拿什麼蓋着他就好。

子華(對彷山)

你外套脫下來罷。

〔 34 〕

仿山

那不行。我每喫一點酒就要發酒寒，你捫捫我的手看，咐哼！(震慄起來)

子華

那就沒有辦法了！我喫酒很怕風的。

婉濤

啊！碧蕪他們來就好，碧蕪爲什麼還不見呢？(走到船首處眺望)

仿山(跟着婉濤跑，指着湖中。)

那個黑影怕不就是？你看那不定的生起波光，怕不是碧蕪在划船麼？

婉濤

恐怕他也醉死了似的；啊，碧蕪，碧蕪！

仿山

不要那麼着急啦，等下就來了罷。

婉濤

怕要翻下湖裏頭去……

子華(冷嘲)

終不成他們會翻下湖中情死！要情死這裏還

剩着人呢……我們裏面玩玩去罷。(對麗妹) 裏面玩玩去麼?裏面沒有個人影似的。

麗妹(懶怡怡地)

去罷。但我走不穩,眞是謝碧蕪的白蘭地!

子華

"淡泊的花雕酒怎夠美人兒的唇紅口香"

這是剛才碧蕪船上說的 。你來罷,有我扶呢。(對仿山婉濤) 你們也來麼?不要老在這兒等瘋子擔心。要曉得鶯妹嬌嗔的一小聲,值得你們十分顧惜的友情……"倜哥"這麼的嬌嗔一聲,他就要像猫兒溫順地投伏在她的膝下了!"蠢倜哥"這麼嬌嗔又一聲,他就要像白癡似的跳到花架下撚着花兒呆笑了。啊!眞是!我們去罷,(扯着麗妹)

麗妹(半倚在子華的胸前,一步一顚似的和子華走向亭中去。)

啊!眞謝碧蕪的白蘭地!(兩人下)

仿山

眞是個刻薄鬼!

婉濤

在碧蕪倜他們面前，他却一聲也不敢響，他就只會在人背後私咬一兩口罷了，他只會注意着無人影的地方。他在嫉妬呢！

仿山

嫉妬什麼？他不是剛擁着一位美人到裏面去？

婉濤

可憐的麗姝（口氣一轉）他也愛着鶯妹你不知道麼？

仿山

哦呀，這才是個大大的新發現！

婉濤

他駡碧蕪無神經，他自己才無神經，卑怯呢！我眞是瞧他不起。

仿山

哦呀，哦呀！

婉濤

眞是！好像一隻獵狗似的，這裏嗅嗅，那兒聞聞，想有天鵝肉喫麼。但却又怕老虎似的，一個狡猾的尾巴長垂在屁股後面，叫都不敢叫一聲！

仿山

你寃枉了他罷。

婉濤

我寃枉他做什麼?他眞愛鶯妹愛得發抖!但他又何嘗是愛,有什麼愛:他不過想捫捫女性新鮮的皮肉罷了,咄!

仿山

哦呀,哦呀!

婉濤

眞的呢,像這種劣男子,不知道還有許多許多!他們總想女子是他們口邊的肉塊。但你眞是個女性的好朋友。我看你就是太老實了。你愛過誰麼?

仿山

你看誰要愛我?我這個……

婉濤

誰愛你不愛你不必管啦;問題是你愛不愛。你不要太畏首畏尾了。

(裏面的犬吠聲)

仿山

你聽見麼?說起我的爹來,連狗都要吠了

婉濤(笑着)

不要說得那麼可憐;恐怕是在吠着剛才從這兒進去的牠的同族罷。

仿山(笑着)

哦,不要太刻薄了他。我們也進去玩玩麼?

婉濤(躑躅着)

放倘在這邊叫露水凍?

仿山

但有什麼法子?喚他他又不醒,

婉濤

眞是,恐怕那神祕的雷峯塔崩壞的鳴動,或者會驚醒了他,但是。

仿山

到底是什麼意思呢,他要跳過船來?眞是險些兒就跌到湖裏頭去;好得你摟住了他。

婉濤

你不聽見麼,當我們兩隻船挨着走的時候?鍾琪說……不過我暗自悲傷，暗自流淚罷了！除開這兩件事以外，我不能做一點什麼。別人把我的安慰奪完了，我剩下的就是悲痛。我不能對別人怎樣，我只嘆我自己的運命……啊！終究是一個苦的運命！我從了耶穌的教訓，我將愛我的敵人……你不聽見麼，鍾琪說的這些？

仿山

一點都沒有聽到，那時我一心在看船邊的波光，直到大家靜默了，我倒轉醒過來，看見碧蕪在笑着垂淚。

婉濤

就是那時啦，倜狂笑起來。不知鍾琪再說些什麼，他就歪身俯伏船舷了。碧蕪望着他的頭髮流淚此時；妹子半醉地擲開青菱下湖中；鍾琪呢，弄着酒杯悶着氣……一刻的沉靜，只有一刻的沉靜，倜就氣狂地跳過來了。那時你驚叫一聲，妹子睜着黑大的眼睛……

仿山

哦！眞是……

婉濤

總之，苦死了鶯妹。伺那麼瘋狂熱情，鍾琪那麼忌刻猜疑……

仿山

碧蕪又那麼不關心……

婉濤

問題倒不關着碧蕪；他除罷傷心驚喜自家知以外，可以對或方面表示什麼？

仿山

這倒也不錯的樣子。但鶯妹到底愛誰呢？

婉濤

這却是個謎了……總之她像同時愛了他們兩位。

仿山

那又何以知道？或者她倆個都不愛也未可定。或者她對於他們兩人完全是出於一種好奇的眩耀的的心未可知。我總覺得女子的虛榮心和物慾太可怕了。

婉濤

〔 41 〕

你不要太把女子看輕了；但却有大部份的女子是這樣的。不過你眞有點老實得蠢！一個女子愛着人還看不出麼？並且她曾親自淚痕滿面的對碧薰說過；她說："……我爲了他們兩人哭，傷心！他們竟不能兄弟似的相愛着麼？運命不許我同時愛他們倆麼？我們竟要煩腦，苦得這樣早麼？啊，啊我不知道怎樣好！哥哥，我對他們都絕了交好麼？或者我死了；啊，啊……"

仿山

那是鶯妹自己的錯誤，是她自尋的苦腦。你想一個女子可以同時愛兩個人麼？

婉濤

淺薄的評論！爲什麼不可以呢？假如不可以，那就是證明現在的人們還未進化，還野蠻着的呢！

仿山

你眞奇拔的論調眞不敢拜聽。但怎樣都好，我們等着看他們的收場罷。不知鹿要死在誰手？

婉濤

眞該死！總以爲女子是你們男子的競買品麼？

〔 42 〕

做夢呢！眞醜！

仿山

我說錯了，說錯了，看誰要成功？

婉濤

什麼叫做成功？

仿山

要怎樣解釋好呢？恐怕又要說醜了，在你們這些詩人美人之前⋯⋯哦！看誰失敗！

婉濤

什麼叫做失敗？

仿山

碎了青年心的失戀！誘了詩人淚的失戀！這怕是美的解釋能，是麼，青年心，詩人淚！

婉濤

好可憐淺薄的見識！

仿山

哦呀，哦呀！

婉濤

戀愛的面前有什麼成功失敗？戀愛只有破滅

〔 43 〕

與完成！

仿山

你們戀愛的專論家，那和成功失敗有什麼差別？

婉濤

差得多呢！成功是把生長着的事物弄死了，失敗是把牠弄糟了的。但戀愛決不會死，戀愛決不會糟。戀愛只有永遠的光輝，戀愛只有永遠的受傷；前者是完成，後者是破滅。差得多呢！

仿山

只說不過你的雄辯……那麼，不知鍾琪的愛要永遠光輝，或者倜的愛要永遠受着傷，還是鶯妹的要永遠光輝與受傷？

婉濤

好纏死人的話！但怎麼曉得呢？我們只曉得最優最美最純潔的心，是最容易受着傷的。

仿山

那麼，臉上留着愛的傷痕的，都有非常的優美純潔的心了？

婉濤

那何待說；但也說不定。有的要用着自家的毒牙咬爛自家的肚臍呢。

仿山

誰這樣蠢！你有二枚舌，我也不相信這個！

婉濤

多着呢，譬如……

仿山

等下我的蠢神經弄瘋了；算了罷，算了罷，我們說別的罷。（犬吠聲）

婉濤

我們進去看看罷。

仿山

是麽。

婉濤

但碧蕪他們這樣了呢？那個黑影簡直看不見了。

仿山

恐怕他們從後面起了船也說不定；你聽裏面

〔 45 〕

狗聲狺狺地，或者在吠新來的客呀。

婉濤

或者看不去來罷。啊：可憐的侗！

（兩人向亭中慢慢地走進去，不住的犬吠聲。稍停，船中的嘔吐聲。侗慢慢地從船首起來，還貼不穩的左右顛着，走依登棹，看看四圍，望望天心，現出疲勞昏黃的頦臉，醉心地自問自答。）

柳侗

哦，好個月亮；這是什麼地方？三潭印月？啊！可不是麼；那是雷峯塔，那是三個燈籠似的小石塔浮在水面……

都跑到什地麼方去了？放我一個人在船中？咿啊，這樣孤另着淸快些，眞的淸快些，肚裏一切的髒東西都吐出來了，一切的一切的鹹的酸的苦的辣的……

（沙沙的風聲）

咐哼，冷呀，好冷呀！秋天的西湖有這麼冷麼？啊！不可思議的寂寞悲哀……

我靈魂在寒冷的湖面上浮遊蕩漾似的，浮遊蕩漾，蕩漾……

哦！一湖的銀波光，閃閃地望我招呢微笑？啊！西湖的月夜喲！人喲！美喲！哀苦喲！哼，哀苦，哀苦，深望哀苦永伴着我，跟我到黑深深的墓床中去……喲！是何心理？說不出我的心，拿不出我的心呢！飛，飛，飛罷，跳罷！跳，飛，何所求？想飛上空中幾點的小星星？想趕着清冷的秋風遠遊？那裏那裏，我畢竟跳下一只侷促輕浮的小船中了！結局只跳下一隻侷促侷促的小舟中了！（犬吠聲）

哦呀！狗吠麼？那掛在我心頭！破開喉嚨盡吠罷……咿啊，惡猙猙地，望着碧蕪吠麼？望着鶯妹？鍾琪？哦妹子怕得心跳罷……（趨走長櫈，右手抵住石櫈上，左手提高，身斜傾着仰天的樣子。）

怕得拉着鍾琪的手罷！"哦！鍾琪，鍾琪！可憐的兄弟喲！何必淚沾院後清淨的夜來香？何必熱情地喚你一聲不響？又何必說些不等角的三邊四邊何必咒詛運命，痛罵蒼天……（犬狂吠聲，倜離開石櫈。）

哦，怕得躲在她哥哥的懷裏了罷……啊！惡猙猙的醜狗！我非為着她趕走你！為着她，美，神祕，我什麼都可以不要的：（望雜木林中奔去，稍停，子華，麗妹偷偷地從另一簇林中出，手牽着手。）

子華

聽了麼，他的咆哮？裏面的確是一隻醜狗惡狗；但他是隻瘋的呢。

麗姝

你不要這麼駡了他。

子華

我想褒獎了他了；他簡直是個精神錯亂的爛龜！不是懶睡，就是醉，淚！

麗姝

唧啊，他有很熱烈純潔的情……

子華

哼，你們女子總喜歡熱情！但好個無謂的熱情喲！空虛的熱情喲！牠燒不開一壺水，倒要疼死幾千的處女心！你們女子又喜歡感傷！但好醜態的感傷喲！好無勇氣的感傷喲！我們只要力，只要勇氣，我們只要將所要的緊緊抱住！咄！你們女子懂得詩，熱情，做夢，感傷，淚汁！

麗姝

何苦來呢！鶯妹愛不着就罵起人家。

子華

我何時愛着鶯妹？你看我何時捫着她的手麼？

麗妹

是啦，就是捫不着她的手，所以要這樣頭熱耳赤的。（拂下子華手）

子華

咄，那種許多人愛的女子，那種愛許多人的女子，我愛她麼？

麗妹

就是背後跟着許多男子的才希奇啦！

子華

說鬼話！你在亂猜什麼？你在妒妬麼？

麗妹

那又何必費心神猜，我現在酒醒了呢！說到妒妬，那更是無謂；不過我要說說你罵人的心理罷了。

子華

我曉得了，倜人人都愛護；他是個詩人，他有純潔熱情的心，他有做夢的眼睛，他又有狂歌痛哭

〔 49 〕

的好聲音！咄！碧蕪也是！你們都愛這些人！你也愛他們去罷！我不能說些神秘，畫些美，唱些哀歌你聽……

麗姝(嘲笑地)

那是當然的，誰像你那麼不要臉皮：

子華(逼近麗姝)

我倒要問問我不要了的臉皮！

麗姝(憤恨地)

你爲什麼強抱我kiss？你爲什麼對我說那些？你又爲什麼迫我……

子華

那完全是我的錯處麼？誰也強不得不願意的你如不來……

麗姝(哭泣起來)

啊，啊，你說得什麼？怪不得你，怪不得你，眞是不要臉皮！眞是不要臉…

子華(溫存地撫着麗姝的肩膀。

你想想看，我們年紀這麼輕，熱血和酒精在我們的血管中走着。

麗姝

不要聽你的，不要聽你的！走開些，你走開些，野獸似的你！

子華

不要這樣惡罵我罷，對你的臉皮也有關呢。哦呀，那邊人來了！（傾聽着）碧蕪他們呢……我們走開罷，這樣淚痕滿面地叫他們看了才沒有意思。

麗姝（憤慨着）

卑怯者，卑怯者！我要看看你所謂的力，我要看看你所謂的勇氣！

子華（慌張着）

小聲說些罷……

麗姝

哦，哦！你跑開，你跑開罷，卑怯者！你爲什麼不把我緊緊地，緊緊地抱在你的懷裏！？你爲什麼不敢在他們面前將我抱住……（碧蕪他們的說話聲。）

子華（拖着麗姝手）

我們裏邊說去罷……

〔 51 〕

麗姝（似願似不願地任于華拉）

哦！哦！（兩人退入後方的雜木林。碧蕪，鶯能，鐘琪，婉濤，仿山等從亭中次第出來。）

碧蕪

在什麼地方？眞的醉得都動不得了麼？

仿山

恐怕神祕的雷峯塔崩壞的鳴動或者會使他驚醒也未可定…這是剛才婉濤說的。

婉濤

可不是麼，怕要像前個月東京那樣大的震災才會將他嚇跳起來罷。

碧蕪

咿啊，或者他已冷醒了也未可定……

婉濤

但酒熱會驅走寒光冷氣罷……

鶯能

哦！不要作抒情詩，在什麼地方我們看看去罷，船靠在什麼地方呢？

婉濤

〔 52 〕

在那邊呢，他睡伏在船尾的（鶯能走向燈桿上張望着。鐘琪無興地坐下亭增。）

婉濤

眞是！醉得連醒動的氣力都沒有了，也不曉得起來賞賞月亮。

碧蕪

啊！這邊的月娘更有趣了，在細聽杭市內猥雜的情話似的……哦！天喲！人喲！這月夜喲！沉醉的侗喲！

鶯能（使着性氣）

哥兒！你在喊什麼！？侗哥呢？這空洞洞的船中……

碧蕪（走近鶯能處）

妹子，侗不在船中睡麼？

婉濤

哦呀！（走近岸邊看）

鶯能（對碧蕪）

你在岸上做夢，不是他在船中睡！

婉濤

〔 53 〕

眞的不在了呢。

碧蕪

是，是，不錯的，哥哥做夢，你哥哥在做夢！老實對這愛死人的湖光說話，我眞的在岸邊做夢呢！我不曉得什麼，做夢似的；但我什麼都曉得，現在這裏說話呀。妹子，侗眞的不在船中了麼？

鍾琪（踮起來，獨白似的。）

眞是個做夢的哥哥！

仿山（望望鐘琪）

眞是個瘋子的侗！又跑到什麼地方去了。

鷙能

怕不是跌下湖裏頭去了？（跳下船中）

碧蕪

妹子，妹子，你注意些，不要跌了；侗怕在雜林中找你呢，

鷙能

怕什麼，湖水淺跌不死的！（鐘琪捉着仿山的手緊張着。）

仿山（驚愕地望鐘琪）

〔 54 〕

怎麼!?

鍾琪(釋放仿山手走向燈桿。)

咿啊,沒有什麼……妹子呀,你起來罷,我們裏面找他去。

碧蕪

哦!要什麼地方找他去呢?在曲欄下的殘荷葉上?在雜林中的霜草尖頭?或者在幽光閃閃的湖面?或者冷氣侵侵的樹梢端?咿呀,他還臥倒在船板上也未可定。妹子,你看得眞切麼?

鶯能的聲

我眼睛要比月亮還明,我看得見雷峯塔尖欹着夜鳥的寄生樹呢!

碧蕪

妹子,在這幽晤的夜光中不要太看遠了,容易頭暈目眩的喲!注意你站的是浮搖不定的船板,脚底下是不知有何深的泥田!你起來吧,如倜不在那兒,怕他迷在竹徑通幽的裏面去了呢。

鍾琪

眞的快點起來好些呀!

〔 55 〕

鶯能的聲

哦！有他遺下的絨帽子，都給冷露濕透了的！

婉濤（對碧蕪）

我們裏面看看去罷。

碧蕪

是，是，（對鐘琪）你好生看顧妹子，（對仿山）喂，我們裏頭看看去罷，或者他要在裏面莽撞地碰着假山頭破了。（大聲一點）妹子，不要盡在船中迷惑。他不會鑽入船縫舷隙的；他常不住地飛，跳啦。

（與婉濤，仿山退入雜木林。）

鶯能的聲

啊！可憐他這個絨帽子！好像他的靈魂與頭髮絨就似的。

鍾琪

妹子，你起來罷，我和你說點話。

鶯能的聲

你下來罷，這裏還有菱角……哦呀！他的衣帶子！（小聲些）這裏還有菱角給你喫呢……

鍾琪

妹子，我請你起來！那裏是很危險地！

鶯能的聲

危險？那麼你來保護我罷。我不曉得有什麼危險…（小聲些）啊！好美的衣帶子！

鍾琪

妹子呀，他在裏面找着你着急，你却在這兒悠閑地稱讚他的東西……

鶯能（走到船首來）

我怕他要跌下湖裏去……

鍾琪

那裏。任他瘋也瘋不到不要了自己的生命啦。你起來罷，我有話對你說。

鶯能

眞是，但我聽見瘋子，（一面上岸）我聽見瘋子常要有不可思議的感官，或者他會看見湖中有什麼美人，就跳去了也未可定，像剛才要跳過船似的。

鍾琪

但不知他眞瘋假瘋……哦！我們亭中坐坐去罷。

〔 57 〕

鶯能

在這兒站着不好麽?哦呀,哥哥!他們呢?

鍾琪

他們找倜去了的。

鶯能

他到底是什麽地方去了,眞不會跳下湖裏頭去麽?

鍾琪

要是這麽担心,水裏去找他的屍首好了!

鶯能

他的屍首要從何處找起?他像不帶着肉體的靈魂似的·…

鍾琪

不帶着肉體的靈魂?咿啊,失了中心的獨樂,沒有腦殼的螺旋釘呢!

鶯能

哦!你的話眞有趣!但什麽都好,我們也找他去罷。

鍾琪

我有話對你說呢，

鶯能

什麼話喲，你說罷，(坐下石凳)

鍾琪(躑躅一下)

是，鶯妹，你聽我說罷；我可憐我自己，還是可憐他，倘多些。是，你像說的他是個可愛的詩人也未可知，是個情熱純潔的青年也未可定；但由我看來，(漸漸亢奮着)他還是個易感多傷淚水長垂在眼簾的小孩子；他只有心，感情；沒有腦殼，意志，他不能夠駕御他奔放不軌的情，不能夠壓抑他爆發的飛躍的心！他只憑他突進的飛車亂撞，不顧忌一切的障礙破壞，不管一切的損傷毀滅！鶯妹，我們現代的青年，猶其是現在的中國青年，稍為有理智些不是好麼？稍為自克制些不是好麼？我們應該要忍耐着，思慮着；我們應該要顧己顧人顧一切。我們不服一切的道德律。但我們不能不維持人間的秩序；我們不能犧牲自己的幸福，永生，但我們不能不尊重人家的安慰和平……鶯妹，你微笑什麼？我這話錯了麼？啊，啊！這有什麼關係！總之他是個多

[59]

感易傷淚水長垂在眼簾的小孩子，又是個突飛的無軌的急行車，又是個心血多腦汁少的畸人！因他這樣 就因他這樣，才會惹起一切人的注意，才會引起你的愛也未可定。但是看罷，鶯妹，世間爲着小孩子開的路是沒有的，他要是永遠地這樣莽撞，他何時會給車馬軋死罷！突飛的無軌的急行車何時會碰着岩石粉碎罷！做夢的眼睛何時會出血罷；啊，但這有什麼關係……總之我可憐自己還是可憐他多些。我能夠受苦，能夠忍耐；我能夠壓服我無理的情熱，能夠克制我強烈的欲求。我能夠犧牲我的幸福，能夠讓給，供獻，服從！但我不是個懦弱者喲，我還能夠奮鬥，耐着奮鬥！鶯妹，你知解我的意思麼？並且我又何苦來呢？我旣被運命戲弄了，旣被運命撇開了，終是一苦了世，左右成了個被社會虐待了的人，又何必去架着人家的路呢，妨害人家的成功呢！？以至破壞人家的幸福呢！？所以，哦，鶯妹，我願你專愛他一個人，永遠地，專心地！他，倘要說："我們來開一朶上帝未曾下過種子，人間奇異的三葉鮮花罷……'鶯妹，何苦來呢！

〔 60 〕

並且這不是笑話麽，未免太異端了罷！啊！笑話，奇恥，苦腦！（稍停，憤恨地。）並且，鶯妹，啊，啊！什麽都好，總之，啊！總之，半天起了烏雲慘霧，中途生起惡浪陰風，將我的小舟推翻了，將我一切的希望安慰搶奪了……啊！啊！我咒咀人間，我咒咀運命！咿啊，咿啊，我能夠犧牲，能夠讓與，能夠忍受，一切苦痛我負擔得起！鶯妹，鶯妹！丟開我罷，他是個可愛的詩人……啊！愛他去罷，專心地，永遠地，（頭垂下去）

鶯能（很受感動，執着鐘琪手，起立。）

鍾琪，你不要這麽着急好麽？你一定不要這麽着急才好！並且他怎能夠笑着看你的小舟打沉，我又怎能夠撇下你！啊！是我的運命，是我們三人的運命呢！

鍾琪

不，不，這種麻煩的運命我想丟的！總之，啊！總之我還要念書，你把我們年來相結着的一縷細絲剪斷了罷！

鶯能（細細聲）

〔 61 〕

那怎麼使得……

鍾琪

怎麼使不得，輕輕一剪就完了!

鶯能

我沒有那麼忍心，並且我愛你，同時愛他；愛他，同時又愛你。

鍾琪

哦!你這是什麼心?

鶯能

我不曉得……

鍾琪

啊!你無論如何要苦腦的麼?

鶯能

你心這麼妬忌麼?

琪鍾

妬忌?啊!女神只有一個心……

鶯能(強起來)

是，女神只有一個心，那是愛，愛，愛!

鍾琪(輕丟鶯能手)

咿啊，我明天返東京念書去！或許荒亂那邊的市城還要比這兒有秩序些……　（倜昏罪地從亭中走出來）

　　鶯能

哦！倜哥！（走近倜，鐘琪注視着。）

　　柳倜

哦！鶯妹，鶯妹！

　　鶯能

你怎麼這樣跳東跳西，使人家跟隨也沒得跟隨起。

　　柳倜

難道我要死坐在禪床中念戒條……哦！鍾琪，我們一切莫說了罷，我們好好地大家玩玩罷。啊！這個月，這個景，這個情！

　　琪鍾

咿啊，你那個瘋，並且你酒還未醒清似的，我怕同你玩。剛才鶯妹在這兒還怕你跌下湖中訪美人呢！

　　柳倜（對悶沉着的鶯能）

〔 63 〕

但可惜湖底有只霉爛的舊泥……哦呀，你怎麽這樣鬱悶悶地？要愁苦太可惜了我們短促的日子呢！

鶯能(神情一轉)

可不是麽，倜哥，我們不要太苦早了！我們儘管歡歡醉醉地……鍾琪，你也來罷，我們重復划船去！我撐舵，你們搖槳，划到湖中心，叫他們找不到才有趣呢。

柳倜

眞是，我們划到迷濛的湖心去！什麽都要糊模些，神祕些，不要一手就給人家擒住了才有趣，我們去罷，船中或許還有酒呢。可不是麽，琪鍾，我們不要叫理智太相欺了；西湖能有幾度月明時，月明能得幾回聚？啊，船中或許還有酒呢……

鶯能

你剛才聽說不是醉倒在船尾，你醒了麽？

柳倜

醉時早，醒時易呀！鍾琪，去麽？

鍾琪

咿啊，你們和碧蕪眞是三生的好兄弟妹！但我總這樣想：青春是一個極短的剎那，與其夢幻過去，不如睜開眼睛，找到我們眞正的人生，向我們唯一的路上走去。

柳胸

鍾琪，我們唯一的路何處？誰曾找過來的？

鍾琪

所以要睜開眼睛找……

柳胸

可是睜破眼睛瞧，看到的還是古人滴過了的而我們現在正滴着的淚痕沿途的舊路罷！並且唯其青春是一個極短的剎那，是一個捉摸不得的活動影片，所以我們不能加減乘除算過了他；我們須忘一切的歡樂了他！哦，鍾琪，來罷，歡歡樂樂地過去罷。理智的本質是冰冷的，要使人驚醒；感情的本質是和熱的，要使人睡醉。而惡魔屢在驚醒中跳梁着，神常是在忘我的國土內酣睡的。哦，鍾琪，睡罷，醉罷，我們忘我忘他忘一切地笑罷！歡喜罷！跳罷！飛罷！爲什麼我們要苦，煩悶……啊！啊！啊！

〔 65 〕

鶯能

侗哥，侗哥，哦，侗哥！笑啦；你爲什麼要自己流淚？啊！閃閃的珠子似的……

鍾琪

咿啊，總之你們都想沉醉在青春美夢裏永遠不醒的；但那我做不到，我在青春美夢裏過的日子也長久了，不僅不能感到愉快，反把純美的心靈加上了無數的傷痕……這無數的傷痕，舊的，新的！唔，我已決心了，決心了！這一些無味的羈絆！無數的傷痕！

柳侗

鍾琪，哦，假使我或誰能夠醫你那心靈上無數的傷痕……

鍾琪

咿啊，我能夠忍受，我比誰都能夠忍受些，比誰都能夠讓與些……

柳侗

但我沒有什麼可以讓與的；我覺得只有大家快快樂樂地相愛……

鍾琪

快快樂樂地相愛?大家?啊,過往的夢了!什麼都破滅了!大海裏的破釜沉舟了!哦!我的美夢!我的幸福!我的希望!我的安慰!我的仙女!我的前途!啊,啊!我一切的一切!(碧蕪從亭中出來,佇望着亢奮極的鍾琪。)快快樂樂地相愛麼?個,這句話我拿來祝你!或許象牙塔裏可以收留我這個殘軀……(走向亭中迎面碰着碧蕪。)

碧蕪

鍾琪,你怎麼這樣興奮?苦腦是青春的消磨劑呀。

鍾琪

哦,碧蕪,你想來安慰我麼,可是緊隨着我的苦腦你奈他何!啊!我的希望,我的心……咿啊,我比誰都能夠忍受些! To bear is to conquer fate! 看能……碧蕪,我決心明天返東京。

碧蕪

咿喲,鍾琪,你怎麼這樣着急?

鍾琪

〔 67 〕

不是我着急，是你氣長閑呢！但什麼都好，我已決心了！鶯妹，我們再會罷！倜，哦，我們……(走入亭中)

鶯能

鍾琪，鍾琪！

碧蕪

喂！鍾琪，你要那兒去？(對鶯妹)我看他去來。

鶯能

他不會自殺去的麼？他常想要自殺的。

碧蕪(笑着)

那裏！不過一時的神經興奮罷了。他一般新中國自覺的青年，幸福的小家庭還等他組織呢！

鶯能

啊！我不知道要怎樣好……

碧蕪

這樣神祕的西湖月，這樣花花色色的刺激，還說不平麼？那你就太輕蔑了你的青春了……啊，今晚的月娘格外有神采些。倜，你好好地看管妹子，我看看鍾琪去來……哦，倜，你不要儘管望着月亮

出神！你酒該醒了呀……（退入停中）

鶯能（走到侗胸前，輕輕打他一下

打死你……（依在侗懷裏）

柳侗（擁抱着鶯能，仰望明月。）

你打罷……（稍停）鶯妹，你到底愛誰呢？

鶯能（嬌懶懶地啜泣着）

我不知道……

柳侗

哦，鶯妹，我曉得你愛誰；你同時愛我們兩位。但我將鍾琪的沙汀印上了擾亂的爪紋了；鶯妹，鶯妹，我的罪麼？這是我的罪我的惡麼？我只愛你，不想其餘；我想你又不是生在他嘴邊的一顆硃砂寶痣，不許人捫，親近的……

鶯能

是呀，你有什麼罪，有什麼惡呢。

柳侗

咿呀，我要給他無數的傷痕；你聽見了麼，他遞給我那哀怨之心？（兩人默默有頃）

鶯能

侗哥，你說罷，還有呢？你接下去說罷，我喜歡聽你的……

柳侗

啊！要怎樣說好呢……是，我曉得，曉得他苦苦你！（月光格外光明，銀波洒得侗鶯兩人融合在一起似的。全scene與其說是詩的，寧說是一種笑劇的，然，何處乎有一種說不出的悲劇的的嚴肅。鶯能埋在首柳侗的懷裏，柳侗右手擁抱了鶯，左手隨着語調作勢，與其說對人間，無甯說對天上一樣的說口白。這樣的，這樣的一個，一個。）

收　場

柳侗

……曉得，鶯妹，我早曉得，

早曉得我定會化作一陣熱狂的春風，

將你們脈脈的春波擾亂，

將你們脈脈的花蕊搖動；

但是我的卑怯麼，

〔 70 〕

我不願，不願對你說：
"棄你心上放肆新長的紫羅藤，
愛你心上原有深紅之心！"

鶯能

這有什麽，這有什麽不了呢。

柳侗

哦！鶯妹，我的少女！
我熱愛的青春，
我放肆的紫羅藤，
我只得對他說，剛才在湖中心，
你不也聽了麽，哦，鶯妹，你再聽：
"鍾琪，我的小弟弟，
不要垂頭對你哥哥嘆氣；
解你愁結不開的眉尖，
浴你青春歡樂的波浪！
莫要哭，莫要慢慢地清瘦下去，
莫要尋出悲傷苦悶，
在你哥哥的愛之杯中！
冒着凄風楚雨漫爛而開，

當我們青春的心花未萎時;
衝開惡浪愁波渡過,
當青春我們的心桅未朽時!
莫信險陰的鴟梟,
莫聽嫉妬的小鳥;
我欲拔起牠們的羽毛,
我欲剪斷牠們的舌根!
又莫將你可愛優美的天真着色,
莫做你彷徨的哥哥之犧牲!
我欲撕破托爾斯泰醜的假面,
我欲搗碎耶蘇譌的赤心!
愛你欲愛之愛,
讓你讓愛之讓,
小弟弟喲莫傷心逃去;
我愛着她,還愛着愛她的你……”
哦!鶯妹,我的少女!
我聽得月光中他的嗚咽聲,
在凄涼的湖面上,
和着凄涼的秋風陣陣!

但是我卑怯麼，
我只得對他這樣說；
我不願，不願對你說：
"棄你心上不作美的紫羅藤！"

鶯能

侗哥！侗哥！

柳侗

哦！願天莫生我，只生他和你；
多事我已生，又逢他和你！
願天都莫生，生亦莫相逢；
旋風捲地起，吹上他我你！
又願我莫愛你，讓他平和地；
自然不許我，我也不自許！
又願同你他我，和和樂樂地，
月下歌與舞，問嫉妬來否！
哦！鶯妹，我的少女！
心望你愛我，實望你莫愛我；
愛我使我狂，愛我使人悲！
心望你莫愛我，實望你愛我；

[73]

不愛我使我自棄，不愛我使人相欺！

鶯能（啜泣着）

啊！我不知道……

柳倜

哦！鶯妹，我說不出我的心！

好像因我愛你，望你愛我；

又好像因我愛你，

望你莫愛我，莫愛人！

啊，我說不出我的心！

又好像因我愛你，

望你莫笑，

望你無情，

望你莫生！

鶯能（啜泣着）

殺死我罷……

柳倜

殺死你麼，殺死你？

我想殺死你，

又想抱你Kiss……

哦！人生卽矛盾，
矛盾是人生；
滑走湖上顧盼好，
不知湖底有何深！
可不是麼，海水好浮泳，
望潮驚，怒濤怨浪奔騰！
歡嘆聲，喚釆聲，
聲聲病呻吟！
哦！鶯妹，我的少女！
杏花村的醋魚生蛤，
酸味和血水；
靈隱寺的晚鐘玉泉，
嘆息和淸淚！
丢開我罷，你還是跟他東京去，
好生愛慰他，
莫使他垂頭嘆氣，說：
"我愛了耶穌的教訓，
　愛了我的冈敵……"
哦！鶯妹，我不是他的敵；

如果我是，他想，
叫他不要忍痛着左頰，
還要獻上右頰任我打，
我欲搗碎耶穌譌的赤心，
我欲撕破托爾斯泰醜的臉皮！

鶯能

啊！侗哥！侗哥！

柳侗

落葉帶着他的珠淚在我眼前飛舞，
凄風和着你的啜泣在我耳邊哀號。
鶯妹，你還是丟開我罷，
跟他念書愛他去，

鶯能（啜泣着）

我不知道……

柳侗

但哦，鶯妹，我的少女！
我又如何得離開你！
我的靈魂離不得你，
正如他日日要跟着你似的。

他愛你，他愛你，
誰不知我也很愛你，
誰能將你從我心中偷去，
又誰能使我不要了喲，你！？
我想借滿山滿湖的風光留住你；
如你去，雲邊海角，
也只有你心窩是我的葬身地！
可不是麼，熱潮之上什麼可浮游，
熱上之潮什麼不拋流？
但哦，一縷哀怨之聲，
嫋嫋不盡，
在我心上哀鳴……
鶯妹，喲，鶯妹，
青天碧海無限心，
我願你跟他去，
又不願你離我去！

鶯能（啜泣着）

殺死我能……

柳倜

〔 77 〕

看啦，我們像在濃霧中索梅花似的，
那湖中閃着的寒光，
又只表現一些愁波怨意，
去罷，鶯妹，你還是跟他去！

鶯能（啜泣着）

我不知道……

柳倜

哦，鶯妹，我的少女！
去罷，我歡喜你去！
我有無限的傷感，
同時有不可思議的快愉！
眞的呢，
如有誰說我不是眞心望你跟他去，
我定要打誰個嘴巴破裂！
但又眞的呢，
如有誰說我眞心歡喜你跟他去，
我要打誰個半死！
啊，鶯妹，我終說不出我的心底！

鶯能（啜泣着）

殺死我罷……

柳侗

哦，鶯妹，我的少女!

我的喜悅!我的情熱!

我的心!我的意!

我的七色光波!

我的紫外暗光!

我的 Harmony!

我的 Melody!

去罷，你還是去罷，

我終說不出我的心底!

鶯能(儘管啜泣着)

侗哥，侗哥!

我有這樣的幸福，歡喜，

我，我，我不知道……

柳侗

哦!不知道，不知道!

在我這糾蔓蔓依搖搖惡的紫羅藤上，

用你香薔滿身美銳的紅頭刺，

〔79〕

刺出我洶亂的鮮血來罷！

鶯能(從侗懷裏抬起頭來，輕輕打他一頰。)

打死你……

柳侗(再俯就些)

你打罷……(不知不覺倆接起長吻來。這時鍾琪從雜木林中出來，覩狀，又縮身進去，)

鶯能(猛省着似地從侗懷裏逃去。)

啊！啊！不知道，不知道！

你們都和我絕交！

不然，都是我的哥哥！

他明天要東京念書去了；

你叫我跟他到那灰燼裏！

你呢？你呢？哦，我自己呢？

你就死在這西湖的月光裏！？

啊，啊！不知道，不知道！

你們都和我絕交；

不然，都是我的哥哥！

遠永的哥哥！哥哥……

那裏，那裏，都是我的，我的愛人！

啊！罪惡麼，是我的罪惡麼？

我愛他，又愛着你……

啊，哥哥，永遠的哥哥，

天上的哥哥，夢裏的哥哥……

啊！打死你，打死你！（又走到侗胸前，亂打他幾下。侗無限的傷懷混亂似的。）

柳侗

哦！鶯妹，鶯妹，我知解你！

愛罷，只有愛，悲哀，

這是一切的一切！

莫把你純眞之美向夕陽古道中長埋！

表現你愛之心，發揮你美之靈！

莫說什麼哥哥，夢裏的哥哥，

這些像老谷沈鐘微弱的反響，

使你的迷童兒傾聽！

望雲花中的飛鳥喲，

送你醉人的秋波！

莫徬徨惆悵，

莫迷在薄霧之中，

唱你不自然古舊傷感的戀歌！

喲，鶯妹，愛罷，

只有愛，痛愛，悲哀，

這是一切的一切（抱起鶯能狂熱地亂吻，鶯能掙扎着受吻着；終于推開了倜懷抱。）

鶯能

蠢倜哥；瘋倜哥！

啊！眞的可怕！

我在你眼中再看東京的火災了！

啊！啊！（喊起碧叢來）

哥兒！哥兒！

柳倜（兩手伸向鶯）

鶯妹，你這樣胆小麼？

鶯能

哥兒！哥兒！（走到燈桿之下，抱着燈桿似的。）

柳倜（追近鶯，熱狂地。）

你眞的這樣胆小麼？

你怎怕得蝸牛似的？

啊！怎麼好呢！

〔 82 〕

你躲在綉被中念佛好，

你只好坐在春宵燈下，

聽少爺說些天上的仙女和古代才子的故事！

啊！你怕麼，怕我瘋麼？

但你眼睛叫我瘋，

你的嫣笑使我瘋，

你的纖手使我要瘋！

哦，哦！什麼天上夢裏的哥哥，

又什麼垂頭嘆氣的弟弟！

我要抱你，我要親你！

愛罷，愛罷，痛愛罷，

這是一切的一切 …（柳逼近鶯能些，鍾琪突從雜林中奔出，望倜胸前撲去。）

鶯能（驚叫）

哥兒！哥兒！

柳倜（手捲胸口，一時的驚動，似覺傷着了，冷笑着，絕望的冷笑着。）

哦！鍾琪麼？鍾琪麼？

唔，這才是我的鍾琪，

〔 83 〕

這才是我的小弟弟，

這才是人生……（鍾琪把頭垂下，刀從手中落；同時侗無力的倒地。）

鶯能（驚呼欲絕）

哦！哦！哥兒！哥兒！（撾伏侗身上，這時碧蕪從亭中走出，睹狀驚駭。

碧蕪

怎麼了？怎麼了！怎麼……

哦！哦！侗殺了麼！？

是，是 鍾琪瘋了的，瘋了的，

鍾琪從裏面的照相館拿了……

啊，啊！我慢來了一步！

可咒咀的忍氣喲！

可咒咀的能耐喲！（鍾琪垂頭喪氣地直立着，碧蕪走近侗處，婉藻，麗姝，子華，仿山等從亭中出來，都作駭愕狀。）

鶯能

哦，哦，侗，侗哥！

你怎樣了，你怎樣了！

柳侗（無力地）

你走開罷，血呢，血呢，

血會污壞了你……（目睹碧簫）

啊！碧簫麼，我的碧簫……

碧簫

怎麼了，侗，傷着什麼地方了？（欲往扶侗，侗揮手作拒絕狀。）

柳侗

剛剛在這個，這個上面……（指着胸口）

鶯能（扶侗斜依在自己胸前）

侗哥，哦，哦！侗哥，你覺得苦麼？

柳侗（強奮精神撐起頭來）

我不苦痛，鶯妹，一點不苦痛，

我只覺血流，哦，血流……（裏面犬聲狂吠）

流罷，赤熱的血喲，你流罷！

把裏面醜犬的惡吠聲蓋下罷！

把那古舊的雷峯塔都流跑了罷！

流罷，流成大河，

把我這個做夢的屍首浮出大海去罷……（雲從月面飛過，陰影投在侗，鶯倆的身上。）

〔 85 〕

啊！月姐兒隱躲了，
不可思議的星星飛跑了！
闇淡的雲帷垂下了……
可怕的天地，可怕的，可怕的……

鶯能

侗哥，侗哥，不要怕，
有我呢，我在這兒呢……
啊！鍾琪，鍾琪！（哭着。鍾琪不動地喪着氣。）

柳侗

鶯妹，鶯妹，不要哭，不要哭罷……
在這荒蕪的人間宇宙，
在這少味的人生盤中，
我們最好儘管嘗試，
甘的，苦的，辣的，辛酸的，血腥的，
最好能夠利用我們的味覺承受牠，
不要輕輕地放牠從嘴邊溜過了……
鶯妹，鶯妹，你那麼傷心麼？
人間有什麼值得傷心麼？
不要這麼悲愁地哭罷！

小鳥似的歎唱罷，

花蝶似的狂舞罷……

可不是麼，鶯妹，你有幾歲？

你不是年紀還輕麼……

不要這麼悲愁的送葬了青春……

（聲音漸漸微弱起來）

是，是，天地本是有意識似的無意識地多變

化，多變化！

我們什麼，鶯妹，我們什麼？

我們小孩子不能，只是不能……

婉濤（走近碧蕪）

快叫船子載過湖邊醫院去……

碧蕪（猛省着似的）

哦！快叫船子載過湖邊！

仿山

眞是！哦 哦，我到後面叫去，（走入亭中）

麗妹（拉着子華的手恐怖着）

啊，啊！

子華（神經質地不知對誰說）

〔 87 〕

不要怕，不要怕，

有我呢，我在這裏呢……

啊！這才是，哦，力喲！力喲！

碧蕪（憤怒地向子華）

在狂吠什麼！？畜生！

柳桐（無力地，聲音很微弱地，喘着氣。）

哦！碧蕪，你在喊什麼，在喊什麼？

一切都極自然地極自然地……

我不苦痛，一點都不……

哦！鶯妹，我的鶯妹！

我很心樂，

我這樣地在你懷中喘着氣……

這樣地，這樣地在你懷中……

再會吧，啊！不可思議的星星飛跑了，

闇淡的雲帷垂下了……

再會吧，永遠地再會罷……

鶯妹，鶯妹……（氣絕倒下）

鶯妹

桐哥，桐哥，哦！我的桐哥！（俯伏桐身上哀泣着；

碧蕪扶着鶯能肩膀，鍾祺突地走到伺倒臥處，俯伏嗚咽着；有頃；鶯能慢慢地站起來，緊着抱碧蕪。)

鶯能

啊！哥哥，哥哥！你帶我囘家去，

我想看看母親，看看母親，母親……

碧蕪(悽然地)

伊啊，妹子，你還不曉得我們所處的境地？

幾年來的兵匪把我們的家鄉荒毀了；

你想何處找我們的父母親！？

恐怕代着母親的胸懷，

只有殘酷的軍帳匪窟在那邊等罷！

妹子，你有那麼傷心麼？

是，伺死了，死了……

啊！讓他安樂的死罷……伺，伺！

鶯能

咿啊！哥哥，哥哥！

帶我囘家去，帶我囘家去……

什麼地方都好，帶我囘家去……

(幕)　　▲終▲

一九二八年六月初版

迷離

每冊實價三角

著者　楊騷

發行者　北新書局

發行處　上海五馬路棋盤街口新聞路仁濟里　北新書局

受難者的短曲

楊騷 著

開明書店（上海）一九二八年十一月初版。原書三十二開。

受難者的短曲
楊騷作
BAR
開明書店版

受難者的短曲

楊 騷 著

上 海
開 明 書 店
1928

受難者的短曲

楊騷著

一九二八年十一月初版

1—1000

實價大洋四角半

外埠酌加郵費)

目次

因習與流行。
獨斷與低能，
詩論家喲，你們去罷！

我自由，我絕對的自由，
我這樣地生，
我這樣地說出我的心。

如我哭的你們同情，
如我笑的你們感興，
那麼來罷，和我笑一聲，哭一聲！

楊　騷

1927,11,13夜

於上海客寓。

— v —

受難者的短曲

愛的巡禮——

船作中心天海作圓形，

風浪險惡我心驚，

美詩清歌唱不出，

頹唐悲切血液青。

跟隨海鷗東京灣，

滿眼荒涼，

當時風雨聲中歸去，

如今迷霧跟我重來。

受難者的短曲

街頭巷尾，月下寒燈，

影跟着我的我跟着影，

來來去去踟躕不進，

長迷在無柳樹的柳町。

狂歌者是何方來的青年？

哦！是駛入死港的難船，

是迷入古墓道的小羊！

去罷，長髮披散的青年！

雪深夜冷人靜，

不是那邊得，得，得，

啊！有了木屐聲，

或許要開門。請你，請，

葡萄美酒相對斟。

但去罷，你終須回家去，

雪花粧滿頭髮的夜遊人！

受難者的短曲

哦！窗裏人，我聽！
我聽你的，禮教的窗裏人！
但待要回去啦，家何處？
啊！讓我走到天明！

拔拍——開窗聲
的得——木屐聲
唉！——窗裏的嘆息聲

啊！我流落的夜星！

西沉的落日是我的誕生，
初升的月亮是我的葬燈！？
我從黑森森的太空中跑出來，
我還走入黑森森的太空裏嗎！？

— 3 —

受騙者的短曲

眼底湖山濛濛迷迷，

耳邊風雨颯颯淒淒。

一湖死水是我青春的酣醉！？

萬里煙霧是我熱愛的窮追！？

冷雨凍我，

濃霧迷我，

渺渺茫茫中何物我？

飛落荒郊的馴鳩我！

我像失了心的音樂家，

彈出悲調徬徨星月下；

我像受了寒的冬蟄蟲，

潛入夕陽裏的落英中。

多舌的小鳥取笑我，

受難者的短曲

陰鬱的太陽睥睨我，
黑漆的時光拖迫我，
自家的出血淹溺我……

哦！跳下狂奔罷，
湖面上凝凍着薄冰！
輕浮禁不起我沉重熱烈的兩脚，
嘩咧，噹得一聲！

爬起，人馬的車夫好騁馳，
指望着寒煙中的紅樓哭去！
可愛的小妓女對我笑，
我淚流入肚子裏。

狂飲呀狂歌，
想將愁杖擲下忘河；

— 5 —

受難者的短曲

頹醉，外邊風雨又哀號，

抱着可憐的妹子一夜啼啼哭哭了過。

像是身置冷墓中，

從黑墓中轉眼銀河，

嘆息微微地消滅了，

墓邊的蛆蟲悲惻惻地吟哦。

美夢的夜星沉沒，

幻想的初陽被雲遮住。

啊！晚來夢不到失掉了的樂園，

早迎着北風尋我冰凍了的歸路！

*　　　　*　　　　*

陽光下的落英——

　　窗外的冷星窺笑我們假的，

受難者的短曲

眞是變了啦，夜遊人……

哦！寒雲把冷星都隱去了！

窗外——細雨陣陣

房中——爐火熊熊

四邊——靜靜沉沉

聆！小鐘打打滴滴，

我裏心悽悽惻惻！

你呢，默默無語，

頭這麼垂，眼那麼低……

看我啦，夜遊人！

望我啦，夜遊人！

不然，哭啦，夜遊人！

你淚最使我歡喜傷心！

啊！哭啦，放聲哭啦，

你淚最使我歡喜傷心！

— 7 —

愛離者的短曲

要我放聲慟倒富士山麼，
問你酒何處？不是撒了滿地？
卽使飲了你芳非的血液，
也難再醉倒在你懷中哭泣！

爲着天上的彩霞幻花，哦，你，
會一秒鐘跑得萬萬里；
但如今啦，美夢刻刻近殘更，
冷露酷雨滿淋着我心……

哦，聽，海浪空打暗礁鳴，
月下哀唱的夜啼鶯；
聽，何來倦怠的簫聲，
櫻樹在夢中的苦呻吟！

受難者的短曲

少女喲，窗裏人！

我已收拾了櫻樹下的落英，

放入無滴水的花瓶，

讓他永遠死，永遠生！

雨打櫺櫳和着啜泣聲

風的嘆息和響的門鈴

再會罷，少女，窗裏人！

拖我的腿，捧我的心，

遊魂似的我將長亭復短亭，

哦！再會罷，少女，窗裏人！

* * *

烏夜啼——

我登上了招搖山，

— 9 —

受難者的短曲

採取迷榖花，
佩在我胸前。

我奔往了聚窟洲，
折取返魂樹，
執在我手中。

我尋到了古幷州，
汲取香水泉，
洗我滿身病。

我憧憬着彈箏谷，
彷徨駐足聽，等，
何時發啦，好箏聲！？
何時發啦，好箏聲……

— 10 —

受難者的短曲

哦！巖上跳下短尾猴，
黑闇裏叫囂着醜猩猩！

啊！這不是我美麗的家鄉麼？
眞對不住東山的月明，
眞對不住南河的水清！

去罷，迷去罷，飛去罷！
我何爲回來故鄉来，
作夢好箏聲！

去罷，一任他迷，一任他飛，
一任風霜雨露永莫歸！
走呀，狒狒猩猩望我追……

* * *

— 11 —

受難者的短曲

生與死的舞蹈——

哥哥，哦！我驚異的哥哥！

你帶我走罷，馭風乘波！

你負我走罷，渡山過河！

人家要將我賣了呢，哥哥！

你忍心丟開了我麼，哥哥！

受難者的行程帶不得你，妹妹！
受着傷的駝背負不得你，妹妹！
你等罷，等哥哥帶兵回來！
你等罷，等哥哥成仙回來！

哦！妹妹，我可憐的妹妹！
看啦，趕我的人來了，搖頭擺尾！
人家要拿我活埋了呢，妹妹！

受難者的短曲

你恨拂拂窮追着的我麼，妹妹！

哥哥，哦，我敬愛的哥哥！

我不恨你，縱你害了我！

但難得等啦，難得等，我！

待何時你帶兵回來？

待何時你喫了仙菓？

就等得看哥大礮轟破東山，

就等得看哥戰艦駛入南河，

那時啦，啊！那時，那時，

那時妹已是人家的細老婆！

真的地球漸漸了，荒老！

如你不怕風霜波濤，妹妹，

我們坐着飛艇罷，走，

我們跟着光線罷，逃！

— 18 —

受難者的短曲

你路旁的死鼠喲！

你天上的罪人喲！

你人間的惡鬼喲！

莫把人家女誘拐了去！

去，去去，你去罷，

獨自叫風霜凍死了你！

來，來來，你來罷，

來讓我們把你活活埋！

哦！妹妹，可愛的妹妹！

聽見了麼，洶湧澎湃，

冰山滾滾奔我而來！？

荒海上的難船，想和我同栽？

哥哥，哦！我唯一的哥哥！

受難者的短曲

你怕麼，莫怕害了我！

昨夜明月抱我睡，

我夢在山巔飛，

夢在你懷中醉著飛；

醉夢裏，凶雲陣陣背後追，

追，追得我們飛不起，

失足向下墜，墜，墜，

從空墜，碰着山巖碎……

哦！哥哥，碰着山巖碎．

願非夜來的明月夢，

願眞的和你，眞的和你，

啊！我歡喜的，我歡喜，

歡喜和你從高高高的，

天空上下墜，墜，碎！

哦！眞的天上黑雲多，

— 15 —

受難者的短曲

地面陰影多，

山裏頑石多，

人間苦痛多，

還有呢，心中柔情多！

妹子喲，將奈何！

妹子喲，可奈何！

腳上的風雲聲：

——撇開蔦蘿，斬斷鏈鎖，

管得遍地綠茵，踏過踏過！

——莫盡頭，悠久悠久；

莫須休，長流長流！

——你孤魂野鬼，你飛鳥倦鳥，

莫戀纏綿哀谷，且你漫遊通都！

——帶笑帶哭，且歌且舞，

少說天上雲多，陰影佈滿長途！

受難者的短曲

哦！哥哥，想什麼呢，哥哥？

快來哀我呀，浮出南河！

啊！南河水輕，

浮不起我們兩人！

喲！滾滾錢塘潮，

轟轟潮水聲……

紅衣帶，黑眼睛！

哦！哥哥，你不要想那麼遠，

錢塘的高潮一去不復轉！

這是近熱帶的浮洲，

不是溫帶地的寒流。

來罷，哥哥，來罷，

快來解我們緊繫着的小舟！

— 17 —

受難者的短曲

可不是麼，妹妹！
那邊人來了呢，
要來活埋了我的！
走啦，啊！從那兒走起？

心中的血潮聲：
——使你血流，使你心痛！
有幾根頭髮思量，瑤杯親口吩紅！
——你愛薔薇，你就死抱薔薇，
抱得滿身出血，你就死在血泊裏！

哦！妹妹，聽我的！

迷失了的心，
從荒漠中拾起，

受難者的短曲

浮浮漾漾，

在浪花上逢着你。

你！

不可思議！

纖手觸摸着我心，

嬌美，愛慾，神祕……

迷失了的心，

覓生在彩雲裏，

醉醉癡癡，

在紅橋上愛着你。

你！

不可思議！

明眸深藏着我心，

— 19 —

愛戀者的短曲

清淚，歔嘆，悲喜……

安放在你掌上的我心，
深藏在你眼中的我心，
如今我曉得叫他破碎了，
哦！妹妹，聽我的，聽！

待將我心放在薔薇叢裏，
怕血腥了薔薇，又怕多刺，
借來水月夢幻的輕紗，
將他重重地裹起。

夜鶯枝上嗚咽啼，
喚我快將夢幻的輕紗脫去；
但喜歡深林中的月娘我心，
終不肯輕輕地將幻紗拋離。

受難者的短曲

忘記了薔薇的顏色血紅，
忘記了幻紗的顏色月白，
忘記了春天的鳴禽伶俐，
又忘記了殘忍的行雲過客！

終被善別顏色的小鳥啄去了，
丟在荒漠裏，將我心！
終被戲弄殘忍的過客拾起了，
拋上蒼穹中，將我心！

冷痛迷惑恍蕩的我心，
偷不在哀怨夜鶯戀歌時，
薔薇臉上帶着露珠的淸淚時，
跳出幻紗，死在花心裏！

受難者的短曲

哦！妹妹，聽我的！
這樣的心在虹橋上愛着你！
如今我曉得叫他破碎了，
碎得鮮血飛迸斑染了你！

哦！妹妹，聽我的！
獰笑着的猩猩拂拂重圍着我，
還是合你唱一節送葬歌，
還是合你跳一段死的舞蹈！

那麼，哥哥喲，心愛的哥哥！
從深山採來送我的花花，
將朵朵摘出來，從我心窩，
編成花環兒兩個。
你戴一個，我戴一個，
然後來罷，啊，來，

受 難 者 的 短 曲

來跳這最終的舞蹈!

是我們永遠死的舞蹈!
是我們永遠生的舞蹈!

本鄉的良家女喲!

人家的花轎在那邊等你呢!

異種的惡少年喲!

地獄的油鼎在那邊滾着你呢!

哦!叛逆者,叛逆者!

你們毒血流紅了南河,

墜下十八層地獄,

還償你們的罪惡不過!

來歌能,來歌能,送葬歌,誕生歌!
來跳能,來跳能, 死的舞蹈,生的舞蹈!

— 23 —

受雖者的短曲

熱狂的風雨將醜的花轎打破；

新霽的彩虹把美的銀河渡過！

兩性的紅紵在碧空中微笑，

七色的陽光在綠野上跳躍。

懷 Piju

哦！Piju，你今何在？
你說踏過碧綠的汪洋，
落葉似的飄落洪荒的上海；
你說將深深地陷入野獸的叢藪中，
將向煉獄投下了你的形骸……
我且問你，Piju，哦！我且問你，
從血肉橫陳的修羅場，
你看到了一些光燄來？

哦！Piju，你今何在？
同你一樣的落葉我，

受難者的短曲

零丁撲朔飄落在海外；
或許要在一個歡喜的清晨，
被這兒黑皮的清道夫掃開……
要問我麼，Piju，哦！你要問我，
可嘗到了一點異國的情調來？

哦！Piju，你今何在？
我們不必相問罷……
我們曾踏過綠野來，
曾在中途高唱勝利之歌；
但我們足跡印着的土地，
那裏我們的淚痕印着！

哦 Piju，你今何在？
我只忘不了你美的鼻子，
那可以淨化一切的苦毒悲哀；

懷 Piju

我在死以前，
要再見得你一面來！

哦！Piju，你今何在？
或你已葬身在血泊中……
啊！我還在，在貪心着縹緲的夢過往，
在做着朦朧的夢未來！

哦！Piju，你今何在？
我願，願拋棄十個戀愛，
換得和你相依共酌的紅酒一杯！

哦！Piju，你今何在？
天無邊海無涯！

受 難 者 的 短 曲

哦！Piju，你今何在？

1926年最後的一日夜過中，

淫雨淅淅瀝瀝地，

草於馬來半島的尖端；

1927年11月7日後的四日夜，

改作於上海的寓所，

變形的暴威壓迫之下。

兩個小孩

風從雲間落下，

雨自天邊吹來！

椰樹急着躲避潤了腰，

蕉葉笨着戰慄，裂開，

草埔中的積水點點躍起，

窗板上的報紙片片飛散……

哦！在這烏沉沉的天地騷動中，

看呀，那兩個小孩！

他們橫斷草埔，穿過椰林，

慢慢地，慢慢地，走上市街；

人們悽惶恐懼逃奔，

— 29 —

受難者的短曲

他們倆小正和暴風雨點嬉戲。

和着暴風雨點嬉戲，
他們横斷草埔，笑着蕉葉，
慢慢地，慢慢地，走上街市，
他們將囘家去，
曉得家有母親姐姐，
替他們洗脚換衣；
活動的他們更不怕濕病了身體。
人們悽惶恐懼逃奔，
他們曉得天地沒有惡意。

曉得天地沒有惡意，
他們慢慢地，慢慢地，
玩了暴風急雨，
横斷草埔，

兩 個 小 [illegible]

穿過椰林，

笑着蕉葉，

走上街市，

快快樂樂地回家去。

1927，9，30.

癡男歌

妹妹，你說我癡麽？
哦！我只愛我的心，
我只愛我的靈，
我只愛自家種出的小董；
如沒了妹，人間再沒有美人。

妹妹，你說我恨你麽？
哦！我的心不許我對你懷着半點恨；
我只不願自家手植的董花給人踩躪，
我只不願，
不願妹妹愛他人。

癡男歌

妹妹，我一心苦勞經營，
滿受了惡毒慘痛酸辛，
只望你長大了作我的伴侶終生；
而你也曾親自對我說過，
說你將作我的永遠之人。

妹妹，你忘記了麽？
火車的鐵軌在我們的耳邊作軋軋聲，
你羞怯着對我說，啊，你說：
"我不願嫁給那個人；
哥，我愛你，我是你的永遠之人……"

妹妹，你還記得麽，那時我對你說甚？
"妹，我多你十三個年齡，
並且我從來是帶了苦的運命……"

— 33 —

愛讎者的短曲

我送你逃脫，爲的覺得你可憐；
啊，那時你只有十三歲的年輕。

啊，那時你只有十三歲的年輕，
你竟決絕地對我答辯了，說：
“哥哥，只要我們有愛，愛情，
可以超越了一切的山障壑深……”
是麽，你這話永活在我的心裏到如今！

妹妹，從那後我得了新生；
憂鬱的天地變作快樂的春晴，
可怕的山野變作小鳥歌唱的遊林，
而穢雜的市場變作優美的都城，
我拋棄了從來厭惡人間之心。

妹妹，從那後我得了新生；

癡男歌

我忍受，不，我蔑視了一切的苦痛，
一心只盼望你無事的長成。
受了你娘的咒叫想該應，
受了左右的惡罵不關心。

有時那個人說要把我殺死；
但你的影像給了我勇氣，
為了你，我吻着痛心的荛匙，
為了送你遠地念書，
作馬牛耕負，啊，我願意。

妹妹，這樣這樣我愛了你。
雖我們遠隔千里，
我的魂兒永追隨着你；
聽你冒着風，我心急如雨，
聽你快慰了，我心隨之喜。

— 35 —

愛離者的短曲

妹妹，這樣這樣我愛了你。
一年一年水似地流過去，
如今你長大了，一十七；
你卻傷心着對我說，啊，你說：
“哥，請恕宥，我不會愛你……”

哦！妹妹，我要申訴無勇氣；
我很辛很辛的淚汁吞下肚子裏！
我曉得你學了許多新的道理，
曉得我許多許多配不上你，
曉得你已長成了，一十七。

哦！妹妹，有什麽說的呢？
我要罵你忘恩背約負義，
但看你傷心地在我面前淚滴滴，

癡　男　歌

我一個心兒好似萬刀割刺.
曉得你心中有我不能給你的種子。

哦！妹妹，我要對你說什麼呢？
我只得抱着破碎的離開你，
我只得望你道別："妹，再會罷，
我什麼都給盡沒有了，
我只剩下一個永遠的安息！"

哦！妹妹，我從小就備嘗了苦辛，
我只怨自家的運命，
自家該演的悲劇，
自家還須演成，
妹，且喜我將演盡！

1927,9,6夜，於 Genua.

— 37 —

四 年 前 後

四年之前我在人間吟咏，
可是一首好詩作出我未曾；
那時我活潑，瘋狂，驕矜，
誰都說我是天才的詩人。

四年之後的我如今，
一首好詩作出也未曾；
可是我憂鬱，沉默，謙遜，
誰都說我是個古來的庸人！

四年之前我在野外搜尋，

四 年 前 後

可是一幅水山認識我未曾；
那時我誇張，修飾，奔騰，
誰都說我是個畫家天生。

四年之後的我如今，
一幅水山認識也未曾；
可是我質誠，苦腦，幽沉，
誰都說我是個凡夫自古今！

四年之前我在都中熱病，
可是一劑藥性心得我未曾；
那時我囈語，夢幻，飛奔，
誰都說我是天落的火星。

四年之後的我如今，
一劑藥性心得也未曾；

可是我悲嘆，落寞，寂靜，
誰都說我是個往古的殞星！

啊！四年之前我愛誰？
四年之前愛我有美人。
四年之前誰愛我，
四年之前我愛非其人。

啊！四年之後的如今我愛，
四年之後的如今愛我無其人！
四年之後的如今誰愛？
四年之後的如今我愛不得人！

哦！四年之前的往事如春夢；
四年之後的現在似秋風。
春夢非詩人所可謳歌，

秋風非畫家所可捉摸。

哀人事之無常由來古，
且樂衆生的肉香愛苦；
掀自然神祕的重重垂幕，
哦！看取四年前後的是否！

1927,9,1半夜，

於 Gomas.

詩的甦生

對頭上變幻的蒼天，

對地下幽咽的黃泉，

兄弟喲，對你在我的面前，

我曾宣誓：我要將你的哀話作成一首
　詩；

如你實行了痛快的自殺，

我更將爲你掩埋了慘酷的死屍，

在你永眠的牀前，插些新柳枝，

用我無盡藏的淚水，灌溉淹漫，

使牠們長大，飛起雪白無限量的柔絮，

把天與地，偸生的我和樂死的你，

詩的誕生

都埋沒在百尺深的絮花裏。

兄弟！如今你已自跳下海溝裏，
我只會懷着永不能表現的好詩；
浮屍呢，一任鳴潮漂流也，去，
這個我與天與地，又只籠着淫雲苦雨！

你說虛僞着生，不如死着安慰。
兄弟！如今她在歡樂的帳中作春夢；
在渺茫茫汪洋面上睡着的你，
可聽到天樂，還是黑夜可怕的海風？

你送給她情熱的花環和閃耀的珠淚，
天天下去了，闇淡，枯萎……
兄弟！只有那永不死滅的愛慾，
要永在人間發光輝！

受難者的短曲

哦！日落流星點點墜墜，
天開海鳥哀哀啼；
我朝招呼，暮招呼，
兄弟呀，你聽見了無！？

對頭上變幻的蒼天，
對地下幽咽的黃泉，
兄弟喲，對你我漂渺的中間，
我重宣誓：我將永不再作詩；
如她奇蹟地要抱了我哭泣，
我將寶惜她抱過的這個殘軀，
在她追悔的哀愁裏，投下你傷壞了的心，
用我最後的淚水，浸潤養育，
使牠甦生，開來緋紅的一朶鮮花，
哦！兄弟，那時這個我，她和復活了的

詩的誕生

你，

將其天地生成了一首永遠的美詩！

1927,8,30,

於 Gemas.

中夜霧

浮漾，浮漾，月兒浮漾，
漫漫地，漫漫，瀰漫，
闇淡，闇淡淡，瀰漫，
白茫茫，白茫茫，白茫茫，……

啊！遊子心惆悵，
這飛霧來無邊；
失掉了的嬌娘扶着遺孩蹣跚，
遊子昨夜夢見！

啊！遊子心哀傷，

中　夜　霧

這飛霧濃無限；
病死了的黑奴橫在路傍邊，
遊子今夜看見！

啊！遊子心悽惶，
這飛霧何時散？
誘惑的音樂在朦朧中競奏，
遊子沉淪頃刻間！

啊！遊子心獸狂，
這飛霧不寬容；
待吞沒了這寂寞的小市場，
一切溶入神祕中！

浮漾，浮漾，月兒浮漾，
漫漫地，漫漫，瀰漫，

闇淡，闇淡淡，瀰漫，

白茫茫，白茫茫，白茫茫……

1927,8,15夜半，

於 Gemas.

自殺未遂犯

生叛逆了我，
不是我叛逆了生。

在一個蒙着迷霧的清晨，
我看中了一株桃樹，
將衣帶解下，掛上桃枝！

我愛這含苞未放的桃枝！
我死後，她將滿開在我頭上，
鮮紅驕豔的花瓣兒，
將掩沒了我的死屍。

— 49 —

受難者的短曲

灰色的都市喲，我不會再倦睡在你懷
　裏！
醜惡的人間喲，我不會再領你的好情
　意！
再會罷，再會罷，哦，再會罷，
不誠實的朱唇喲，
了，我也不會再貪你的嬌柔與香氣！

我把懸帶打好了結，
微笑着吊上去。

死的歡醉使我全身戰慄，
生的誘惑漸隱入雲帷裏；
哦！痛快的鬱悶喲，冥府的神祕！

自殺未遂犯

縹緲中，縹緲中，在縹緲中，
樹上的鳥兒唱曉歌，如喜如驚如啜泣；
田野間的呼牛聲，又長又慢又急；
而從葉上跳下的露珠，紅桃淚歷，流滴
　滴？

暈亂中有聲在我的耳邊訴說：
"人喲！沉滯的都城你活不着，
偏僻的新彊呀，可以使你自由唱歌。
愛的柔唇雖多血跡油水，
但一次呀，曾誠心地飲了你的酸淚！"

我浮在空際，無心聽，但聽，
聽見這刺刺不休斷續的微音。

"人間荒廢，不是我們還自紅紅翠翠？
不是我們還夠你稱讚着說：

— 61 —

我愛這含苞未放的桃枝?"

哦!腦後的雄雞大膽地高啼,
衣帶子嚇斷了,我墜地……
甦醒來深深地嘆息,呼吸,
什麼呀,我是?何處呀,這是?

滿眼綠萋萋,桃蕊初開着笑迷迷,
誰替牠粧飾着的衣帶子,
在曉風裏招搖舞媚……
鳥兒飛飛,
雲兒在蒼空中遊戲……

啊!我從桃枝上生下來的紅嬰兒,
看啦,自然與人生有如此美麗!

自殺未遂犯

一隻負着重軛的牛兒從我面前走過，
一個執長鞭的農夫緊跟着喊着；
"畜生！看你往那兒跑躲！"

善良的牛兒逃脫不離，
還是讓農夫趕下田鬧中去；
是逃脫的苦罰呀，
凶鞭，赤皮！凶鞭，赤皮！

我深深地嘆息，呼吸，
什麼呀，我是？何事呀，這是？
人在地上着急，雲在空中遊戲……
啊！生罷，我桃枝下的紅嬰兒，
看啦，自然與人生如此美麗！

1927，23夜，於星州.

流 浪 兒

我流浪，我浪流，
我心悠悠；
我不知所之，
我不知所留。

我自問自己：
"素兒，浪子，你又是什麽東西？"
變幻的浮雲在天上替我答辯：
"這有誰曉得，這有誰曉得呢！"

"你要忍殺自家的愛，

流　浪　兒

或是被自家的愛殺害。"
聰明的人兒這樣喊着，
但我呀，不知愛之所在。

名譽麼？眞理？
啊！這個欺人自欺的軍令旗！
藝術麼？美人？
啊！這個陳舊腐爛的古神祕！

懷鄉病呢，我鄉沉淪，沉；
念妻子呢，我身孤，孤另；
山村水谷行雲過，
親朋戚友陌路人。

若啓示傳信的秋月春風，
好給詩人們咏嘆，作夢；

— 65 —

受難者的短曲

如北國南部的酒煙花粉，
只叫我畔息的泥醉，狂瘋。

飛去他星麼，他星，
如此地無我愛的物，人？
但神不給美滿的明證，
我又何用呢，飛走他星！

如在他星還看爬蟲兒相殺，
哦！他星，他星，希望的他星，
倒是在這兒暗夜的涼風裏，
默想他傳下來那美麗神祕的青光青！

哦！我流浪，我浪流，
我心悠悠；
我不知所之，

流　淚　兒

我不知所留。

在我年還青，
我就盡量地漂泊，生；
如我生得老，
我就死，死在天地心！

1927,1,31。

執着的靈魂

抽了人間最後的悶空氣，
吐了胸中殘存的深太息，
他有光的靈魂飛上樹梢頭依稀，
撇下遺骸給他的愛人抱着啜泣。

樹上的小鳥憐憫他說：
"靈魂呀飛去，飛去！
莫在附近纏綿顧你的情人，
生的愛慾還是讓他苦着自生。"

"聰明的小鳥呀，向何方飛去？

執着的靈魂

要是此去茫無知，

我寧伴她燈下寫哀詩，

躲在她的黑髮裏，白了她的青絲！”

1927，1，2，午後.

淚河中的漪漣

愛人喲!
我將你的乳房割起,
來塡我的心窩陷處,
任誰說我慘凶,
神呀,將歡喜!

但愛人喲!
我只看了星的一面光輝,
我忘了還有一面星的飲醉;
使你跟着春風輕輕地飛逝,
悵望着你踏過的野原,去後的荒廢!

淚河中的漪漣

愛人喲！

縱我淚水把不得廢墟流成沃地，

我不悔愛了你！

但愛人喲！縱你死屍從我的淚河中浮

　起，

淚河中的漪漣洗不得你！

淚河中的漪漣洗不得你……

哦！愛人約！淚河中的漪漣洗不得你！

落葉隨着你的浮屍流去能，

孤舟載着明月流去能，流去，

但心只在心底，心在心底！

1926,9,21.

頭髮與提琴

提琴，Violin！

愛了你五六年，

算愛到你了，如今！

用幾十張紙的銀，

算將你買來了，夜夜伴我眠，

一任我抱了你，一任我姦淫！

提琴，Violin！

愛了你五六年，

算愛到你了，如今！

但我梅毒的手指彈不出好聲音；

頭髮與提琴

我的頭髮已戀愛着花柳病，
我的頭髮已斑斑地染了血腥！

啊！我這頭髮，我這長長蓬亂的頭髮，
上海的粉姨太說是女kind的俏優伶，
南洋的蠻英兵當是淫賣中的男賣淫！
但我這頭髮，啊！我這長長蓬亂的頭髮，
掃紅了少女的豐頰也付！
流滴着愛人的清淚也付！

提琴，Violin！哦，聽！
自從愛了你，我的頭髮寸寸長，寸寸生。
人家抱着牠哭泣時我也想起你，
人家指着牠嘲弄時我也夢着你的美聲
　音；
直到如今，啊！抱着你睡的如今，

— 63 —

受騙者的短曲

牠已戀愛着永遠的花柳病！

何必再誇說呢，說牠簪着滿頭花也曾！
頭把牠剪斷了，剪得不留一根！
但當此要剪斷時，
我流滴，流滴滴，淚的旋律，淚的聲；
因爲我還念你，心心，
啊！我還念你，心心，心心！

哦！提琴，Violin！
算愛到你了，如今，抱着你睡的如今！
但我朽腐的手指已彈不出完美的心，
我要把長長蓬亂頹廢的頭髮削盡！
過往的浪漫史只遺下痛的哀音，
我或將抱着你望黑旋渦下沉！

1926，9，14夜半，於星洲。

這樣我是個詩人

對哦，這樣我是個詩人！
美妙的幻想只騙得我於忘卻一時，
明媚的風光只能毒殺我的小情人。

脂粉與肉塊，醉蝦，酒精，
這纔活得我困憊了的神經；
對哦，這樣我是個詩人！

但天下如有永遠愛我可愛的人，
說呀，願挖出這個詩人心，
做一團綉毬任她拋擲！

受難者的短曲

如有永遠可醉醉我的酒，
說呀，願挖出這個詩人心，
放下酒槽中——任酵母消盡！

對哦，這樣我是個詩人！
初戀是最後的接吻，
初會面是決絕的象徵。

百合與玫瑰，紅桃瓣，素蘭心，
這儘管濫用我的小花瓶；
對哦，這樣我是個詩人！

但聽啦，可愛的美鳴禽，
你笑我罹着頹廢病？
像你躲在綠陰中做夢我也肯。

這樣我是個詩人

也曾像你歌頌着永晝，葉密，花深：
但聽啦，可愛的美鳴禽，
豆蔻花欲落，你還閉着眼睛！

然後，冷露會使你驚醒，
哦！垂黃的麥穗搖曳着貪慾的秋聲，
獵犬蹲着望穿收穫的農人。

怕見人的處女也忙出中庭，
然後，小鳥喲，誰還讚你美鳴禽？
飛去罷，在山谷中有伴你的鳴泉鳴咽
　聲！
對哦，這樣我是個詩人！
小鳥喲，美鳴禽，
還是讓我吻下你那喜看綠葉的眼睛！

於道南學校，

— 67 —

誘　　惑

黑雲前後追撲，
月娘娘急急飛躲，
風和雨驚號呼，
椰子林戰慄着；
哦！誰在屋外喚我？
呼呼，颼颼……

　　哥呀我看你，我看你呀哥哥！
　　你眼睛比在家時糊模，
　　你形容比在家時消瘦，
　　你唇兒比在家時憂鬱，

誘　　惑

你人兒比在家時不活潑；
你只默默地想，兀兀的坐，
這怕人的大風雨，
也鼓不動你的血海心波：
你好像濾過人間的冷沙，
落在沙田中的枯蓮一朶。
哥呀我看你，我看你呀哥哥！

哦！誰在屋外喚我？
呼呼，颼颼……

哥呀我問你，我問你呀哥哥！
你出走家鄉爲的是何？
怕暴兵虐殺了你麼？
怕姦紳陷害了你麼？
怕惡疫傳染了你麼？

— 69 —

或是粗心的妹妹我，
有什麼對你不得過？
或是海上呀的白鷗，
在你面前引誘招呼？
或是天生的流浪熱麼？
哥呀我問你，我問你呀哥哥！

哦！誰在屋外喚我？
呼呼，颼颼……

哥呀請回來，請回來呀哥哥！
你咒咀家鄉，
家鄉的風土比外邊的薄？
你喜看天河，
外邊星星可比家鄉的多？
你看輕父老鄉姑，

誘　　惑

外邊的兄弟姊妹好的幾個？
你說家鄉像籠牢，
現在海外你可自由地過活？
你想想罷，如何如何？
哥呀請回來，請回來呀哥哥！

哦！誰在屋外喚我？
呼呼，颼颼……

回來呀哥，回來呀哥哥！
你不念望兒心憂的老母？
你不念受屈可憐的妹我？
家鄉的水土雖不合，
你是家鄉的水土養大的；
家鄉的故舊雖穢醜，
那都是你小時的好朋友。

— 71 —

受難者的短曲

回你十年前的夢罷，
家鄉的一草一木一塊石，
都是你追慕根深的歸宿。
回來呀哥，回來呀哥哥！

哦！誰在屋外喚我？
我不是你的哥，不是你的哥哥！

啊！哥呀你不聽我，
哥哥呀，你只不聽我！

我不是你的哥，不是你的哥哥！
啊！狂風息了，暴雨止了，
月娘娘從雲間探首出來，
椰林現出苦鬪的倦息。
還有誰在屋外喚我麽？

聽

遠方微微的海潮哀……

於道南學校的破窗下。

歸　途

我種出的青豆要泣蟲牙，
但美人的紅脣呀，時也得上。
去罷，你們去罷，莫回盼，
哦！叫喊，悲嘆，憂愁，哀傷！

我要痛哭流淚深太息，
我也要微笑低吟長呼吸。
回去呀，我將棄此多難的風波，
回到家園中摘蘋菓！

鳥語蟲鳴馬自飜，

歸　　途

或許我終是一羽哀鴻。
但多情易傷好色的春風，
已離開秋夜的玉簫錦瑟不遠！

哦！弟弟，娘，我將回家去，
細訴我行旅中的經驗。
你們可否爲我設下一壺酒，
叫我醉，醉談在暖爐邊？

哦！弟弟，娘，我將回家去，
與鄉姑里婦們親近；
我將幫她們起火煙，在日黃昏，
我將同她們上田岸，在天黎明。

哦！弟弟，娘，我將回家去，
收拾我從前棄了的小屋，

— 75 —

耕作我從前不要了的田園，

哦！我將做個順從的鄉少年！

於道南學校，

白蟻腐蝕了的樓上，

站在船頭看月

歸去來喲！歸去來喲！

歸那往日沉醉低吟的鄉土去來喲！

但我的兩脚已血淋漓，

一個心兒又滿是傷痕；

假使我這樣地回去，

愛我的將抱我哀泣，

我將給她無限傷悲。

不要苦着她，

不要痛着她優柔之心，

我一生涯不回去好啦！

愛離者的短曲

是呀，我將跟着海鳥四處漂流，
常給些好消息與她，
使她想着星兒想，想，
想她所愛的悠遊勝利之人……

哦！迷濛濛水天接處，
不是有個女人來麼，
蒼白，蒼白，蒼白的臉兒？
她在水煙上浮搖着，
海上的夜曲在她裙下靜奏着。
爲什麼啊，我的舊相識麼，
她在對我訴說什麼呢……

　　這浮世唯一的美呀，影！
　　假使你若愛我，
　　年青年青的人子喲，

站在船頭看月

你愛罷，熱愛罷，
單是愛我的影！

這浮世永遠的花呀，無！
永遠開着的單是我們的夢。
做你的夢喲！
愛我的影喲！
她們何時都光輝且美。

哦！年青年青的人子喲！
情感只給他人安慰，
理智單誘我們入迷園而已；
我們一樣弱小地匍匐此世，
憐我身的心同時可憐你！

但信着，我們的影呀，夢，

— 79 —

將和悠久的時光同道來，
來我們的墓前笑臉開；
那時，哦！綠草雖要憫我們的前生，
我們將喜望着登上墓臺！

我聽了，我聽了，哦，我聽了，
你那寧靜沉痛的聲調！
曉得，曉得你抱着縹緲的希望，
曉得你懷着苦悶的熱潮。

你懷着的只向身內潛埋，
你比誰都勇敢地作戰，
比誰都要承受着較深的悲哀！
看啦，你面上與心中的血色何在？

你面上與心中的血色何在？

站在船頭看月

你沉下高山，浮出大海，
幾千歲月蒼白地流去也，
你的影，夢可轉回來？

這樣圓圓缺缺，浮浮沉沉，
你想的尋的愛的是
自家要醒的夢，他人要滅的影？
哦，這樣，我咒咀此生！

但雲雀終是地上的東西！

雲雀墜，將再飛起！
我將高鳴，限我生有力；
雖終以無常的彩霞作糢臺，
我將飛，墜，墜，飛起！

— 81 —

受難者的短曲

永續的歌曲未嘗唱過我心，
我彈的是粒粒碎斷的弦琴
要是無把握地死，
我將着實地生！

哦！一片怪雲飛入星座，
海洋裏將起風波。
年青年青的人子喲！
叫你船長把穩着舵，
叫你水夫快鬆了帆索！
要看到埠頭墜落的燈光，
先準備着你們墜落；
要着實地踏上關門，
還須提防着船難破。

啊！星星在黑空中戰慄着，

站在船頭看月

那女人給了我最後的秋波，
急急往雲帷後隱躲。
風喲吹呀！浪喲湧呀！
吹來彼岸的花花葉葉，
湧出美麗的人魚兒給我！
哦！水夫，水夫，緊張着帆！
船長，船長，寬放着舵！
奔喲，奔喲，奔馳喲！
趕走海路的濃霧陰影，
把悠悠的船頭步衝破！
不把憂鬱渡過狂亂的暗潮，
寧沉下魚腥的海溝裏，我！

旅店內買小唱

我心懶洋洋死靜，
又如遠潮逐風鳴，
Beethoven 說不出的哀音。

亂紛紛灰色的交響樂，
鬱沉沉低調的騷聲，
啊！上海夜市的風情！

我拋棄白百合與憂愁兒之心，
呼風破浪浮過海洋洲，
什麽呀，什麽呀，我在追求？

旅店內買小唱

看啦，這變態性慾的都門，
這神經衰弱的大江頭，
這荒漠中的野獸！

咿啞——調琴聲，
悉索——推門聲。

哦！二八的少女賣風流，
那小脣兒的含愁，
那肉聲兒的嬌柔！

什麼呀，小姑娘？
哦，是呀，你唱罷，
唱個屈子問蒼天。

哼喻，沒這個曲名？

受難者的短曲

哦，是呀，你唱罷，
唱個聖母偷男人。

哼嗆，那麽，你唱罷，
唱個，唱個流行，
唱個孟姜女哭倒長城……

哦！但長城呀，如今還在，
孟姜女呢，何存？
小姑娘，我們莫如談談心。

那麽，請讓我走罷，先生；
我沒有什麽談的心。
我須街上走到天明，
或是一夜伴睡了先生……
啊！風這麽冷，街上的寒燈！

旅店內賦小唱

未嘗喜歡跋涉，
也未嘗好將自己的青春，
啊！青春，這短促的青春，
在辛酸的旅中沉淪。

未嘗厭惡安息，
也未嘗不望將此身寄托，
啊！寄托，身與心同寄托，
在愛的帳中享受着。

但是，啊！這騷擾苦悶的地球，
不是天上一顆死了的冷星？
那雪裏寒慄着的夕照，
又不是太陽衰老的象徵？

— 87 —

受難者的短曲

宇宙死，

宇宙生，

宇宙無果無因，

宇宙只是一團忍心！

何足言愛道情，

何足傷害美人；

凶劍兒刺我胸懷我死，

櫻口兒接我嘴唇我親！

莫問天國的門戶開何處，

哦！仙女就在你身邊，

擁抱罷，人喲，

擁抱罷，人喲，使你瘋癲！

酒杯中的幻影

我雖不關心如何地死，
我卻留意要如何地生。

恨不知何時纔得自造美酒飲，
但這Bar，哦，Bar，好個誘人的發音！

白蘭地黃浸着冰塊冷，
白雪石的圓棹子襯着四壁青。

醉罷，你弱小的毛蟲，
一切盡在此杯中！

— 80 —

受難者的短曲

不要這樣拼命地狂飲,
哦!這個亂暴可愛的人!

前世可用你的眼波止飲,
此生你摸不着我的酒樽,哦,愛人!

黃色的玉燕在頭上歌頌着醉意,
黃色的印人在對面酣笑着撚鬚。

遠地的椰香叫涼風呀傳送,
黑美的明眸在對我呀流動。

哦!醉能,你惡毒的毛蟲,
一切盡在此杯中!

酒杯中的幻影

哦！你忘記了麼，酒飲人，
你曾答應我南國的風情？
我乘風兒自來了，如今；
䗈雲在我頭上飛，
你不出門兒相迎；
我流連落下你的酒杯中，
你將我的影兒連杯飲！
啊，你忘記了麼，酒飲人，
你曾答應我南國的風情？

坐啦，在這酒樽邊，新客，新人！
不要回憶罷，不要回憶舊情！

人，時時刻刻新，纔是詩人：
這不是你前年對我說的麼？

— 91 —

愛雞者的短曲

啊！你聽，你聽，南國的風情，
我新學個馬來歌，你聽：

我與好人偎着走入椰林，
椰葉可比我們的愛情青。
好人攀上椰樹尖，
要採椰菓給我飲。

我說好人呀，莫攀登；
你無猿臂長，跌下怎生！
好人兒只給我一流盼，說：
妹呀，跌死我甘心。

雲在樹巔飛，
樹在雲下行；
樹上好人多得意，

不念樹下人驚心。

好似雲破樹傾，
嘩喇喇一聲！
一陣烏雲飛過眼，
園地上跌下好人！

雙手抱着一顆椰兒圓又新，
喘着叫道妹呀，快來飲……
急急走來扶起好人兒瞧，
眼睛已閉，嘴邊留下微笑。

好人呀，你醒醒，醒醒，
你轉轉那流動含情的眼睛，
你起來罷，用你有力的兩臂膀，
再緊緊地抱着我親一親！

受難者的短曲

啊！地兒搖搖，天兒昏昏，
好人呀，你醒醒，醒醒！
這淡香的椰水如何清，
潤不得我渴慕的焦唇！

聽了麼，新客，新人，
我新學得這個馬來音？

我哥哥死在幻想的彩雲裏，
我將在萬人沾過的酒杯中偷生。

湊近一些來罷，新人，
來，這個血清似的酒兒也讓你斟一斟！

哦！新客，新人，你傷心！

酒杯中的幻影

你何所爲要淚兒涔涔?

遠地的椰香沁入我心,
黑美的明眸在對我呀流情。

這杯中影,啊,這杯中美人,
我將此杯來飲盡!

於小坡的酒店中。

投在妓女身上

"妹子什麼名字?"
"咿!有什麼排場的名字!
咿!有什麼排場的名字!
相好的叫我小心肝兒;
不相識的叫我淫貨,野雞……
新來的客呀,叫我什麼憑你。"
"那麼就妹子稱你;
妹子呀,有幾多年紀?"
"沒有那種記憶,沒有那種記憶!
昨夜對人家說是二十歲;
現在對你說能,一十七。"

上身女妓在投

"哦！不可思議，有趣！
時間的倒替，時間的破滅！
浪漫主義，新的浪漫主義！"
"新來的客呀，我們只講寫實主義！
快點說啦，老鴇母叫呢，
你今晚可睡在這裏？"
"在這兒有酒喫？"
"有啦，有啦，開化，文明，
不拆白，有規矩……
只要有錢，錢，有錢，
我的血液也許你吮吸！"

落霞片片，片片，紅片片，紫片片，
魂兒，魂兒，魂兒在那一方？
在這裏，在這裏，
在這黝黑，黝，黝黑的眼緣！

嬰雛者的短曲

在這尤淫，尤，淫的屑邊！

"不要開玩笑啦，我在眞心問你；
你有無父母兄弟？"
"不要提起，不要提起，不要提起！"
"怎麽呢，怎麽呢，怎麽呢？
在何處，你的父母兄弟？"
"要我說麽，要我說麽，啊！要我說麽？
爸爸中着流彈死在田裏！
媽媽哭壞了的！
哥哥窮了把我賣給人家！
弟弟呢，小小就死了的……"
"哦！什麽地方呢，你們住的？"
"我們住的鄉里，掛着美麗的五色旗；
那裏有青的山，綠的水，好的景緻，
春來時也有花兒開，鳥兒啼；

可是半夜常有人打門,
白晝常有人打刼,
持鎗的來來去去……
啊!我爺爺就死在這裏!"
"你恨哥哥麽,他賣了你?"
"我倒可憐他呢;
我只恨死了買我的!"
"你可憐自己麽,做這生意?"
"憐我自己?憐我自己?
啊!沒有這福氣,沒有這福氣!
我夜夜有客迎接,
夜夜要叫人家歡喜!
新來的客呀,
今晚還要叫你盡情地開心呢!"
"不要這麽說,不要這麽說,不,
啊!不要這麽說……"

受礙者的短曲

"哦!新來的客呀,你爲什麽流淚?!
到我房中的,從沒有帶過來呀,淚水!"
"妹子,妹子,沒有什麽,沒有什麽呢;
我想你還有個賣你的哥哥,
我連不曉得誰要買我!
雖也有弱弟慈母在望我,
但新氣象的鄉里呀,容不得我!
聽說是罪惡啦,我,罪惡的結果,
自己走的路是地獄的墮落……"
"哦!新來的客呀,
我心未嘗動過,爲誰;
如今啦,爲着你,幾乎跳碎!
啊!我歡喜你,
歡喜你的墮落,歡喜你的淚水!
來罷,我的淚水,我的人,我的心!
來罷,好好地在我懷中睡;

這是留給你做夢的搖籃呢，
來罷，啊！讓我們漸時，
漸時，漸時醉醉……”

流星點點，點點，大點點，小點點，
心兒，心兒，心兒在那一點？
在這裏，在這裏，
在這高擡，高，高擡的前胸！
在這沉淪，沉，沉淪的肉中！

“啊！我今晚最初睡在樂園中的花叢
裏！
妹子，妹子，我今晚最初抱了美處女！”
“我的心，我的心，啊！我的心！
再緊些，再緊些，緊緊抱住，緊緊緊！”

受難者的短曲

渺蒼穹，渺蒼穹，渺渺蒼穹……
雲兒飛，星兒墜，月兒瘋！
生命，生命，生命，哦！生，生命？
在這裏，在這裏，
在這，在這，在這喘息的放鬆！
在這，在這，在這心兒的顫動！

"妹子，妹子，睡喲，睡喲，睡……"
"我的心，哦！我的心，醒醒喲，醒！
啊，熱，蒸熱，熱蒸蒸！
把窗子打開罷，窗外的冷星……"
"妹子，妹子，睡喲，睡……"
"醒喲，醒醒！哦！這樣無精神……
看啦，窗外的冷星，那個星，那個星，
那個星愛我們，那個星看護我們……
啊！那個星，那個星，星，那個星，

那個星預備着花轎迎我們……"

"是喲 是喲，妹子，睡喲，夢喲！

夢中，夢中，夢，夢中尋，夢中尋……"

"夢中，夢中，夢中尋，夢，夢中尋……"

生的旋律

在樹陰下

女

你愛我麼，將來也愛我麼？

男

我且反問你。

女

我不知道。

男

現在我愛你，你愛我，就是這樣愛罷。

如果要提起將來的搖籃，恐怕要將目

下

現存的一點熱夢都搖掉了呢。

女

我不相信。

男

枯枝乾柴是要作青年少女的暖爐燃料
的；
剩的就是一堆灰。

女

枯枝乾柴在爐中燒，牠自身不是很熱
麼？

男

熱要待人燃。

女

但是……

男

但是？

受難者的短曲

女

哦！

男

哦？

女

我現在要一點很清涼的泉水飲。

男

侵入很凶險的山巖我也找來給你；
但這於你不必要罷。

女

我現在要一杯很濃厚而紅似血的酒。

男

刺出我的心裏血，滲入玫瑰露給你；
但這於你不必要罷。

女

哦！我想割你頭，擲下大洋中！

生的旋律

男

很快很快的剃刀在皮篋裏；

但你在說笑的罷。

女

哦！

男

哦？

女

你看啦，那隻飛燕來來往往！

男

牠是在找牠的情熱。

女

牠的情熱在那裏？牠有情熱麼？

男

這裏沒有，牠就飛到南洋去。

牠是趕着溫和而飛的。

女

啊！看啦，牠飛去了！

男

恐怕要再飛回來。

女

爲什麽呢？

男

這裏還藏着牠一點情味。

女

你聞得麽，牠的情味？

男

我聞得。

女

在何處？

男

在蒼潤青翠的枝梢頭。

生 的 旋 律

女

哦！

男

哦？

女

你又看那片雲， 匹馬呢！

男

一隻鳳。

女

那裏，一條魚在水藻中浮游呢！

男

啊！竟是一尾蛇在空中飛的！

女

哦！無意識！我們走罷！

男

唔，走罷。

— 100 —

女

到什麽地方去呢?

男

到……

女

哦!燕燕又飛回來了!

男

可不是麽。

女

到什麽地方去呢,我們?

男

到……

女

你好像很沒有興味的樣子!

男

那裏,你看河邊的蝶蝶好有趣!

生　的　旋　律

女

你好像很疲倦了的樣子！

男

沒有的事，你看我跳舞來！

女

啊！你好像冰凍了的樣子！

男

不是說玩的……哦！對了對了！
剛纔那片雲的陰影在我心上的，對了
　對了！

女

拂開牠罷！

男

是，拂開牠罷。

女

起來罷，我們走罷！

— 111 —

男

啊，可不是麽。

女

走走走！

男

哦！走走走！我將帶你走，我將跟你走！
走走走，走罷！如你走不得我就負起你
　來。
走，走罷……你想什麽？

女

我想……

男

想怎的？

女

我想跳下前面那條河。

男

說笑的！何所爲？

女

不知爲着什麽，我怕……

男

怕什麽？

女

怕前面。

男

那麽我們背後走罷。

女

背後走過來的。

男

那麽我們就坐在這樹陰下等……

女

等什麽？

男

等飛艇來載我們上天。

女

但我們終是地上的東西罷。

男

那麽怎樣好呢……哦，對了！

我唱個歌兒給你聽，我們就坐着且等

罷。

女

等樹上的萍菓掉下來你喫？什麽歌呢？

男

在我母親肚裏時唱的歌。

女

哦，什麽歌，你唱罷。

男

你聽啊：

浮喲！浮喲！盡力地……

生 的 旋 律

女

看啦，那邊小孩子們跑來了！

男

哈，趕着蝴蝶來的。

女

那裏那裏，捉迷藏來的呢！

男

喂，小哥兒們！來呀，來聽我唱歌呀！

女

不害羞的！你那個破嗓子……

男

小哥兒們，來呀！你們那裏去？
來聽我唱歌呀，在娘胎裏時就唱着的
　歌呀！

女

不要嚷，不要嚷，他們不會聽見的；

他們蹲下草埔上捉螳螂了呢。

男

是啦，他們肩上各負着一個小竹籃，
預備着裝些蜻蜓，蝴蝶，蟋蟀蝗蟲……
但什麼時候竹籃會被那些蟲兒們咬破
罷！

女

啊！小孩子眞是好玩！

男

可不是麼，他們在那小竹籃中做夢。
他們的夢又在小籃裏貪睡着。
他們個個像在樂園中好玩着的小鳥；
他們終日活跳跳地在野原中撲蝴蝶，
每晚笑嬉嬉地在庭院裏指星星；
他們美而好奇的眼眸子只看見一片
花花綠綠，美麗的，新奇的，夢的世界。

女

哦！他們走近河邊上了。

男

是，他們漸漸走近河邊了，
走近那渺渺茫茫的大河邊了；但他們
　不會
曉得那是個風浪惡，暗礁的大河，
他們祇會看見魚蝦水鱉在替龍王招
　親，
他們會看見搖搖擺擺的水晶宮……

女

你在說夢話麼？眞在做夢呢！

男

啊！我在說夢話麼？我們在這兒做甚
　呢？

女

曉得你！說要等坐飛艇上天呢！

男

可不是麽，我還要唱個歌給你聽的。

女

眞的！什麽歌喲？

男

你聽來呀，我到河邊唱去……

女

河邊有龍王招親麽？

男

咿呀，眞的河邊上唱去喲……

哦！你看，風浪起了！

你跟來罷，我唱着：

浮喲，浮喲，盡力地浮喲！

負着這樣多情的美女，

她從母胎裏就跟我來的，

要抛她又如何抛得離！

浮喲，浮喲，盡力地浮喲！
她是我終生的好伴侶，
只有她曉得我在何處，
只有她曉得生之祕密！

女

哦！是什麼一個歌喲！？

男

生的歌呢，還有：

浮喲，浮喲，盡力地浮喲！
莫說她重累，拖累了你，
丟她沉下深深深的河底。
丟了她，你將失掉生趣！

浮喲，浮喲，盡力地浮喲！

水煙飛沫是我的喘氣，

浪花奔馳是我的歡喜，

而她是愛我唯一的美女！

女

是什麽一個美女喲，該不是我罷？

男

是你我各負着的一個丟不開的美女。

女

那麽我負的該是個美男了！

男

啊！你看，站在河邊上來更清楚了。

你聽，那浮浮沉沉的白浪花，

那波山波谷裏頭的白浪花不是在和我

唱麽？

還有最後的一節呢：

生　的　旋　律

浮喲，浮喲，盡力地浮喲！

負着她浮過彼岸去！

彼岸是我靈魂的鄉里，

只莫放她流離。

女

但不知你的美女叫什麽名字？

男

什麽名字？她從未說過話呢，沉悶悶的。

女

那你是個沉悶的水手了！

男

你就是個過渡的船姑了……看啦，

好雄壯的波濤！好美麗的浪花！

女

— 121 —

危險啊！我們再到樹陰下等飛艇去罷！

男

好悲壯的波濤！好誘惑人的浪花！

女

那你就負你的美女跳下去罷！

男

可不是麼？狂奔的波濤喲，等等我！
美麗的浪花喲，借點力我！
我浮過去，我將浮過彼岸去！

女

看你瘦小的兩臂膀怎負得美女起！

男

浪花奔馳是我的歡喜，
而她是愛我唯一的美女！
狂濤喲！等等我……

嘩喇喇——

生 的 旋 律

女

呀呀！人喲！你眞跳下去了麽？

你負的是什麽？你負的是誰？

啊！讓你來負了我，我負了你……

嘩喇喇——

小孩子甲

一對人兒在水中翻筋斗呢！

小孩子乙

咿呀！他們在捉水龜呢！

小孩子丙

那裏那裏，他們在做潛水遊戲！

小孩子乙

哦！眞是，眞是，沉下去了！

小孩子丙

沉下去了，沉下去了！一二三四……

小孩子甲

喂！怎麼不再浮起來呢？

小孩子丙

他們捉住鯉魚尾巴玩去了罷。

小孩子乙

或者在水晶宮中歇息歇息。

小孩子甲

我們拿石頭擲他們，嚇他一個跳！

咚！咚！

小孩子甲

還是不行呢，恐怕他們被魚蝦水鱆捉

去了！

小孩子乙

管他的，我們捉蝴蝶去罷。

小孩子丙

看啦，一隻紅斑點的！

小孩子——同

啊！眞美麗，我們捉去罷！

1926、12，23夜，於星洲

開明